Regarde-moi

Le développement neuromoteur
de 0 à 15 mois

Maria de Notariis • Elisa Macri
Nathalie Idelette Thébaud • Annie Veilleux

Regarde-moi

Le développement neuromoteur de 0 à 15 mois

Nouvelle édition

Éditions du
CHU Sainte-Justine

Catalogage avant publication de Bibliothèque et Archives nationales du Québec et Bibliothèque et Archives Canada

Vedette principale au titre :

Regarde-moi : le développement neuromoteur de 0 à 15 mois
Nouv. éd.
Comprend des réf. bibliogr.
ISBN 978-2-89619-118-5

    1. Activité motrice chez l'enfant. 2. Enfants — Développement. I. Notariis, Maria de.

RJ133.R44   2008155.4'123   C2007-942329-9

Photographies : Claude Dolbec
Conception graphique et infographie : Nicole Tétreault

Les éditions Chouette ont gracieusement permis l'utilisation du ballon à l'image de Caillou® qui figure dans les photos apparaissant à l'intérieur du livre.

Diffusion-Distribution :
        au Québec : Prologue inc.
        en France : CEDIF (diffusion) – Daudin (distribution)
        en Belgique et au Luxembourg : SDL Caravelle
        en Suisse : Servidis S.A.

Éditions du CHU Sainte-Justine
3175, chemin de la Côte-Sainte-Catherine
Montréal (Québec) H3T 1C5
Téléphone : 514 345-4671
Télécopieur : 514 345-4631
www.chu-sainte-justine.org/editions

Table des matières

Remerciements

Nous tenons à remercier tous les parents qui, avec leurs bébés, ont gentiment accepté de participer aux séances de photographies. Nos vedettes sont donc : Emmanuelle, Vincenzo, Camille, Roxane, William, Émile, Sofia, Sara, Adrien, Ernesto et Antoine.

Notre reconnaissance s'adresse également à tous ceux et celles qui, de près ou de loin, nous ont soutenues tout au long de la rédaction de cet ouvrage.

Nous remercions Claude Dolbec pour les photographies, Marise Labrecque pour la correction du texte et Nicole Tétreault pour la conception graphique du livre.

Introduction

Enrichie de 15 années d'expérience additionnelle auprès d'une clientèle d'enfants nés à terme et de prématurés, cette deuxième édition se donne toujours comme défi de démystifier, dans l'esprit des jeunes parents, le développement moteur normal de l'enfant. Elle se veut cependant une actualisation de la « guidance parentale » face aux implications motrices des recommandations du programme « Dodo sur le dos » pour la prévention de la mort subite du nourrisson et face à une population grandissante d'enfants prématurés dont le développement moteur est souvent déviant dans la première année de vie. Nous avons la conviction que la clé de la réussite en matière de développement moteur est la prévention et l'intervention précoce.

Pour la majorité des jeunes parents, la naissance du premier bébé est source de questionnements. Ils manquent bien souvent de points de repère, notamment au sujet de ce qu'est une croissance harmonieuse. Certains se fient aux avis donnés de bonne foi par des parents, des voisins ou des amis. Or ces renseignements, généralement basés sur une comparaison des habiletés des nourrissons uniquement sur le plan moteur, sont rarement exacts. En effet, la motricité ne représente que l'une des facettes du développement de l'enfant. Un guide avec photographies à l'appui devient alors un excellent compagnon dans l'aventure menant à la marche. Pour les parents qui n'en sont pas à leur premier enfant, il est parfois utile de se faire repréciser la grande variabilité des étapes du développement et de pouvoir consulter ponctuellement une référence au besoin.

Dès la naissance, le nouveau-né se manifeste : il crie, pleure, gesticule, attire l'attention, ouvre un œil, puis l'autre, ébauche un sourire ou une grimace… Mais que savons-nous de lui ? Que peut-il faire à la naissance, et que pourra-t-il faire dans quelques années ? Jusqu'à quel point l'environnement du bébé agit-il sur l'évolution de ce dernier ?

Nous n'avons pas la prétention de répondre à toutes ces questions. Nous souhaitons plutôt informer le lecteur de l'état actuel des connaissances concernant le développement sensorimoteur de l'enfant et suggérer un suivi des acquisitions motrices menant à la marche. Nous voulons partager notre expérience privilégiée et offrir des conseils qui devraient permettre aux parents d'être à l'écoute de leur bébé et d'intervenir, si nécessaire, de façon précoce.

Cet ouvrage a été conçu comme un outil de référence permettant aux parents et à tout intervenant auprès des nourrissons de situer les étapes progressives du développement harmonieux d'un enfant né à terme ou prématurément. Pour ces derniers, l'étape de développement correspond à l'âge calculé à partir de la date prévue d'accouchement. Cet ouvrage peut également servir de guide aux parents dont le bébé éprouve des difficultés mineures dans son développement moteur. Puissent les parents mieux comprendre certains problèmes et porter attention à certains signes afin de pouvoir consulter rapidement leur pédiatre ou leur médecin de famille.

Nous voulons répondre indirectement aux questions les plus fréquemment posées par les parents en ce qui concerne les compétences de leur nourrisson, ainsi qu'aux inquiétudes qu'ils n'osent pas formuler pour diverses raisons. Nous souhaitons pouvoir offrir une référence valable à tous ceux qui éprouvent le besoin d'être guidés, rassurés ou tout simplement encouragés.

Nous nous sommes attachées à décrire le développement moteur du nourrisson au cours des quinze premiers mois de sa vie. Cette description est basée sur l'importance des préalables assurant l'acquisition de la marche. Elle tient compte des facteurs suivants : la variabilité du tonus musculaire d'un enfant à un autre dans le moment de l'acquisition des étapes motrices, les caractéristiques propres à chaque personnalité ainsi que des particularités liées à la prématurité.

Nous avons choisi de présenter le développement moteur du jeune bébé par tranches d'âge et d'inclure deux plans principaux correspondant à des acquisitions déterminantes de la motricité ; l'un de ces plans se situe à 4 mois, l'autre à 8 mois. Ces âges choisis ne sont évidemment que des repères indicatifs, si bien que votre bébé peut très bien correspondre au premier tableau dès l'âge de 3 mois, ou plutôt à 5 mois. Il suffit que le bébé ait intégré les préalables propres à ces âges et indispensables à l'acquisition harmonieuse des activités plus élaborées des étapes subséquentes.

Il ne s'agit pas de créer une «psychose du bébé parfait» mais plutôt d'attirer l'attention sur ce qui peut réellement retarder ou limiter les acquisitions motrices du nourrisson. Il ne faut donc pas perdre de vue qu'un bébé ne doit pas nécessairement accomplir telle ou telle activité à tel âge bien précis. Il est important, par contre, que le nourrisson assimile les étapes préliminaires qui lui permettront de mieux contrôler une position ou une activité. Les diverses étapes du développement ne doivent pas être précipitées ; elles ont toutes leur importance propre.

Enfin, destinées à favoriser un contact avec leur bébé, diverses suggestions incitent les parents à participer aux activités quotidiennes de leur enfant. Ainsi, ils pourront l'aider à améliorer la qualité de ses mouvements et éviter que ne se développent des mauvaises habitudes ou des postures inappropriées, telles une attitude de torticolis ou des poussées en extension qui peuvent avoir des répercussions à chaque étape de développement jusqu'à la marche. Nous souhaitons que ces propositions donnent aux parents pleine confiance en leurs capacités et qu'ainsi guidés, ils puissent offrir à leur bébé un environnement sécurisant et stimulant. En l'observant et en le guidant dans son développement, les parents jouent un rôle essentiel : en effet, ils sont les personnes les mieux placées pour observer les habitudes de leur bébé et corriger celles-ci au fur et à mesure, le cas échéant.

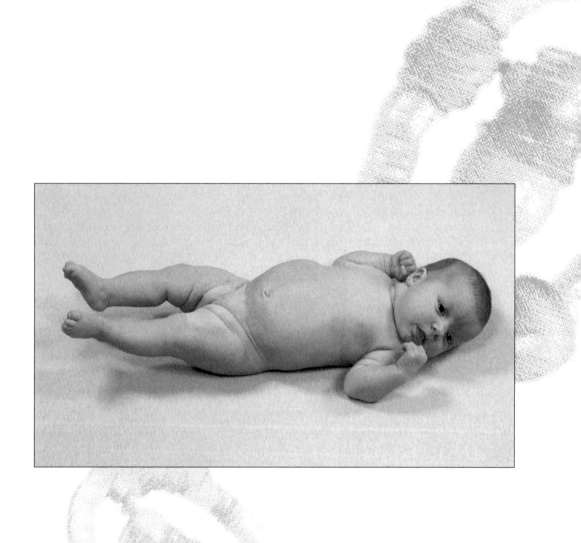

Chapitre 1

Les compétences du nourrisson

Particularités du cerveau du nourrisson

Le cerveau d'un nouveau-né est formé d'environ 100 fois plus de neurones que celui d'un adulte. Le nombre de neurones, évalué à tout près de 10 milliards à la naissance, ne cesse de décroître au cours des années qui suivent. À mesure que le cerveau se développe, les cellules nerveuses se « connectent » les unes aux autres en établissant des « ponts » qui les relient entre elles, si bien qu'il se forme progressivement un véritable réseau de communication intercellulaire. Les cellules deviennent alors pleinement efficaces et permettent une circulation de l'information. C'est entre la naissance et l'âge de 3 ans que le nombre de ces connexions entre les neurones augmente le plus rapidement. Le nombre et l'efficacité de ces connexions dépendent des expériences vécues par l'enfant. En effet, plus ces expériences sont nombreuses, diversifiées et de qualité, plus la capacité du cerveau augmente. Le cerveau est ainsi conçu que plus il est mis à contribution, meilleur est son fonctionnement. La stimulation des cellules cérébrales est déterminante pour leur avenir : non adéquatement stimulées, celles-ci demeurent hors circuit.

Il semble bien que ce soit au cours de périodes critiques que le cerveau apprend à voir, à parler et à maîtriser certaines fonctions et aptitudes. Une fois ces moments passés, le cerveau ne peut plus récupérer complètement ces fonctions. À la naissance, l'être humain dispose d'un potentiel moteur et intellectuel, mais il doit développer celui-ci à l'aide de stimulations adéquates. Le potentiel d'un individu peut être réduit de façon dramatique si une privation l'affecte à un âge où le cerveau est particulièrement sensible à l'acquisition de tâches précises. Cela signifie donc que la mise en opération d'une fonction s'effectue à un âge déterminé et qu'un enfant qui n'utilise pas son cerveau perd plus ou moins rapidement son potentiel initial. Ainsi, certains apprentissages deviennent beaucoup plus difficiles s'ils n'ont pas été réalisés au bon moment. Heureusement, chez l'être humain, le réseau de communication constitué par les cellules cérébrales est si complexe que rien n'est vraiment définitif et que tout est au moins partiellement récupérable.

Les découvertes récentes sur les périodes sensibles du développement sensorimoteur ont permis de mettre en évidence le rôle important joué par l'environnement. Pour être adéquat, l'environnement doit favoriser au maximum la croissance du cerveau d'un enfant. Toutefois, il ne faut pas surstimuler un bébé. « Ni trop, ni trop peu » semble être une bonne attitude, ce qui n'est pas toujours facile à appliquer. Associée à « ni trop tôt, ni trop tard », cette première attitude exige que l'adulte soit à l'écoute des désirs et des possibilités de son enfant : le milieu dans lequel un nourrisson se développe doit donc être riche et diversifié en stimulations. Varier les stimuli, c'est également les ajuster à chaque enfant afin qu'aucune des possibilités offertes par le cerveau ne reste inexploitée.

Le cerveau est capable d'une certaine récupération. Toutefois, ceci ne signifie pas que lorsqu'un nouveau-né a subi un dommage cérébral partiel, les cellules nerveuses affectées se répareront. En effet, ce sont plutôt des cellules nerveuses appartenant à des territoires voisins de celui qui est affecté qui pourront, dans certaines circonstances, compenser partiellement le déficit. Ces cellules pourront alors former de nouveaux circuits destinés à propager l'information. La capacité d'évoluer et de compenser constitue l'une des compétences propres au cerveau des jeunes enfants, d'où l'importance d'un dépistage précoce des problèmes sensorimoteurs afin de favoriser, pendant que cela est encore possible, la faculté de réparation du cerveau.

Les réflexes archaïques

Un nouveau-né en état d'éveil sait faire plein de choses : voir, entendre, goûter, sentir et se mouvoir. Son comportement est régi en grande partie par des réflexes involontaires, contrôlés par la partie inférieure du cerveau que l'on appelle les réflexes archaïques. En fait, ce n'est que vers l'âge de 3 ou 4 mois que ces réflexes se transforment progressivement en mouvements volontaires.

Le réflexe de succion

Lorsqu'on lui caresse une joue, le nouveau-né tourne aussitôt la tête vers la main qui l'effleure et ses lèvres cherchent alors quelque chose à sucer. Lorsqu'un bébé tète, il exécute trois mouvements différents : la partie avant de la langue mâchonne tandis que la partie arrière produit un mouvement de va-et-vient et que les muscles de l'œsophage exercent un effet d'aspiration. Cet ensemble de mouvements engendre une très forte succion. Ce réflexe entre en fonction bien avant la naissance puisque le fœtus suce son pouce dès le sixième mois dans l'utérus de sa mère.

Le réflexe de la marche automatique

Maintenu sous les aisselles, en appui sur ses pieds, le nouveau-né sait se tenir debout et est capable de marcher : c'est le réflexe de la marche automatique. Il tend ses jambes et son tronc et, si on l'aide, essaie de se maintenir le plus droit possible.

Le réflexe d'agrippement

Lorsqu'on frôle la plante du pied ou la paume de la main d'un bébé, celui-ci referme ses orteils ou ses doigts et peut serrer très fort, parfois même très longtemps. Si l'on glisse un doigt dans chacune de ses mains, celles-ci se referment automatiquement et le bébé s'accroche si fort qu'il est alors possible de le soulever.

Le réflexe de Moro

Ce réflexe est dit « de défense ». Si un bébé est rapidement déplacé dans l'espace ou s'il renverse sa tête en arrière dans un sursaut, il écarte alors involontairement ses bras et ses jambes dans une détente brusque avant de les ramener à lui dans un mouvement d'étreinte. Ce réflexe peut même le faire pleurer, si bien que souvent, des parents sont tentés de croire que leur enfant est nerveux ou que les brusques changements de position le font sursauter.

Le réflexe de survie

Par instinct, un nouveau-né sait également lutter pour sa survie. Ainsi, couché sur le ventre, il relève sa tête pour dégager son nez. Si son visage est recouvert d'un drap ou d'un mouchoir, il remue la tête de côté jusqu'à ce qu'il ait fait tomber le morceau de tissu. En cas d'échec, il se sert de ses bras.

Le réflexe tonique asymétrique du cou

Ce réflexe est également nommé réflexe de l'escrimeur. Si un bébé tourne spontanément sa tête d'un côté ou si on la lui tourne, il allonge le bras du côté où il regarde et il fléchit le bras opposé, comme un escrimeur prêt au combat…

Jusqu'à 3 mois, un bébé contrôle peu son comportement moteur. Les réflexes archaïques prédominent et le corps ne fait que répondre automatiquement à certains types de stimulations. L'intensité de la réponse peut cependant varier d'un bébé à un autre et d'une situation à une autre. À partir de 3 mois, les réflexes commencent à disparaître et laissent la place aux mouvements volontaires. Leur diminution progressive est normale et indique que le cerveau passe à un niveau supérieur de contrôle. Cependant, l'utilité de ces réflexes n'est plus à démontrer : en effet, ceux-ci font partie intégrante du processus de maturation du système nerveux.

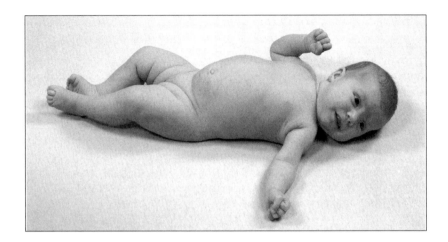

Chacun de ces réflexes joue un rôle dans le développement du bébé. Par exemple, le réflexe de Moro lui permet d'expérimenter des mouvements de grande amplitude et ainsi de « balayer » du geste de grandes surfaces. Le réflexe tonique asymétrique du cou lui offre de nouvelles sensations de mouvements et de changements de tonus musculaire. Ce réflexe permet au nourrisson de placer sa main dans son champ de vision, le préparant ainsi à coordonner son œil et sa main. Dès que ce réflexe est disparu, le nourrisson a acquis le sens de la symétrie et est alors apte à coordonner ses bras et ses jambes. Il peut commencer à manipuler les jouets, les prendre et les relâcher, de façon volontaire, dès que le réflexe d'agrippement n'existe plus.

Les sens

Le toucher

Organe du toucher, la peau est le premier de nos organes sensoriels en action. S'il est possible de vivre aveugle ou sourd et de manquer totalement de goût ou d'odorat, les fonctions assurées par la peau sont essentielles à la survie d'un être humain. L'utérus est un milieu riche en stimulations tactiles. Vers la sixième semaine de gestation, l'embryon réagit déjà vivement si l'on touche la région de son nez ou de sa lèvre supérieure. Il ne mesure pourtant que trois centimètres et ses yeux ainsi que ses oreilles ne sont pas encore formés. Après sa naissance, le bébé demeure extrêmement sensible aux manipulations. Certaines le calment, d'autres l'excitent. Le toucher constitue un véritable moyen de communication entre les parents et leur jeune enfant. Les parents adaptent leurs gestes à l'état de conscience de leur bébé. Lorsque ce dernier est surexcité, les parents l'apaisent en le caressant doucement et régulièrement. Par contre, s'ils cherchent à le réveiller ou à le stimuler, leur toucher est plus vigoureux dans le but d'engendrer un état d'alerte chez le nourrisson. Le nouveau-né peut même arriver à différencier ses parents à la faveur de stéréotypes tactiles les distinguant l'un de l'autre.

Le goût

À sa manière, le fœtus est un gourmet. Dès la vingtième semaine de gestation, les bourgeons gustatifs commencent à se former. À la trente-quatrième semaine de gestation, si l'on injecte dans le liquide amniotique une substance sucrée comme la saccharine, le fœtus en avale une double ration. En revanche, l'ajout de lipiodol, huile au goût particulièrement désagréable de teinture d'iode, est responsable d'une chute impressionnante du taux d'ingestion et incite même le fœtus à grimacer! Dès sa naissance, le bébé reconnaît quatre saveurs: l'amer, l'acide, le sucré et le salé. Il exprime ses préférences sans ambiguïté si bien que lorsqu'on lui donne différentes substances à goûter, il s'attarde volontiers sur les saveurs sucrées, rejette les salées et n'apprécie guère l'acide ou l'amer.

L'olfaction

Les capacités olfactives du fœtus sont moins connues, bien qu'on sache que le nerf olfactif se forme vers la dix-septième semaine de gestation. Après la naissance, des nourrissons de 3 jours distinguent des odeurs différentes. Mis en présence d'odeurs fortes, voire irritantes pour un adulte, ils sursautent, s'agitent, détournent la tête et se mettent à pleurer. Grâce à l'expérience désormais classique des docteurs MacFarlane et Montagu, il est maintenant connu que le nouveau-né reconnaît l'odeur de sa mère. L'expérience consistait à présenter au nouveau-né deux compresses d'allaitement, l'une imprégnée de l'odeur de sa mère et l'autre imprégnée de l'odeur d'une autre mère au même stade d'allaitement. Les résultats révélèrent que les nouveau-nés d'à peine 5 jours manifestaient déjà leur préférence pour la compresse imbibée du lait de leur mère.

L'audition

Il est maintenant connu que le fœtus entend malgré la présence de tissus et de liquide logés dans le conduit auditif et dans l'oreille moyenne, et en dépit de l'atténuation des stimulations sonores exercées par les tissus maternels. En effet, toutes les recherches entreprises dans ce domaine ont révélé que le rythme cardiaque du fœtus se modifiait en réponse aux bruits d'origine extra-utérine, dès la fin du septième mois de gestation (de façon moins constante, à partir de la fin du cinquième mois de gestation). Le fœtus perçoit d'abord un bruit de fond, le bruit extra-amniotique, rythmé par les battements du cœur de sa mère. De ce bruit de fond ressort la voix de sa mère: ces sons parviennent au fœtus transformés, débarrassés de leurs composantes aiguës, mais reconnaissables par leur rythme propre et leurs intonations. Le nouveau-né s'en souvient si bien que l'écoute d'un enregistrement des bruits intra-utérins apaise la plupart des nourrissons et facilite même le sommeil de certains nouveau-nés.

Le fœtus est sensible à la voix de son père, les sons relativement graves étant précisément ceux qui traversent le mieux la paroi abdominale, si bien qu'un conditionnement semble possible. En effet, quelques mots précis répétés régulièrement et dans un climat de détente par le père, au cours de la grossesse, calmeront ultérieurement les pleurs du nouveau-né.

Le fœtus perçoit la musique. Au début, il entend les sons graves (300 Hz) puis, progressivement, les sons aigus (2 000 Hz). Il est même certain qu'il apprécie un environnement musical harmonieux. Comme la voix du père, la musique pourrait être une source de conditionnement pour le fœtus.

Dix minutes après sa naissance, le nouveau-né est capable de localiser un bruit. Endormi, l'émission d'un bruit l'éveille en sursaut et il se tourne alors vers la source du bruit, négligeant même parfois de maintenir son attention sur une activité importante comme la succion. Le nouveau-né est également sensible à l'intensité et à la durée d'un son : en effet, il répond à une tonalité dont la durée est de dix secondes et non à celle de deux secondes.

Le bébé réagit préférentiellement à la voix de sa mère à condition qu'elle ne soit pas déformée volontairement ou artificiellement par des moyens techniques, engendrant par exemple une inversion de l'ordre des mots ou une inversion d'un enregistrement diffusé de la voix. Les résultats d'une recherche utilisant différentes combinaisons ont même démontré que des bébés âgés de 2 semaines ont la capacité d'associer la voix et le visage de leur mère. Les nourrissons manifestent littéralement de l'effroi si un visage inconnu s'adresse à eux en empruntant la voix de leur mère. Par ailleurs, ils ne sont pas plus rassurés lorsque le visage de leur mère est associé à des intonations de voix inhabituelles.

La vision

Le nerf optique se forme à partir du deuxième mois de gestation. Le cerveau du fœtus répond aux stimulations lumineuses vers la vingt-cinquième semaine de développement intra-utérin. Plusieurs chercheurs ont pu démontrer la capacité des nouveau-nés à fixer leur regard. Les nourrissons peuvent même suivre des yeux et de la tête des objets se déplaçant horizontalement sur un arc de 180 degrés, ou encore verticalement. Cependant, une dizaine de secondes sont requises pour qu'ils puissent prendre conscience de la présence d'un objet. Pour qu'un bébé suive des yeux un objet en déplacement, il s'agit d'abord de capter son attention ; il ne faut pas oublier que sa faculté de concentration est encore très limitée. Il faut laisser au bébé le temps de décoder l'information et d'y réagir. Il convient d'éviter d'approcher l'objet trop rapidement du visage du bébé, sinon le geste trop brusque risque de l'effrayer et de le faire pleurer.

Le champ et l'acuité visuels des nouveau-nés sont moins étendus que ceux de l'adulte. Au-delà d'un mètre, leur vision est floue; toutefois, au cours des deux premiers mois, elle s'améliore considérablement. Lorsqu'un objet est trop éloigné, le nouveau-né fixe un œil sur l'objet, l'autre demeurant flottant : le bébé louche. Si l'objet est situé à moins de 20 centimètres de distance, il peut le regarder tout en gardant les yeux bien droits. Cependant, à 3 mois, l'accommodation a tellement progressé qu'elle est meilleure que celle de l'adulte. C'est d'ailleurs à partir de cet âge que l'accommodation commence à décroître.

Le bébé est attiré principalement par le contour du visage d'une personne : frontière entre les cheveux et le visage, le cou et le visage lui-même. Vers l'âge de 1 mois, il reconnaît le visage de sa mère à condition que celui-ci soit expressif. Si ce n'est pas le cas, il gémit, se tortille et pleure. Il semble alors qu'il cherche par tous les moyens à redonner vie à ce visage pour lui insupportable. En fait, il ne reconnaît pas les traits du visage proprement dit mais plutôt les expressions de ce dernier. Lorsque sa mère parle, le nourrisson ne regarde pas sa bouche mais plutôt ses yeux.

Vers 6 semaines, un bébé différencie les volumes des surfaces planes. Vers 10 semaines, il distingue les formes convexes des formes concaves. Cependant, il est nettement plus intéressé par les formes variées et par les dessins contrastés. À 2 ou 3 mois, un bébé perçoit les couleurs. À 4 mois, il distingue les nuances de couleurs mais préfère les coloris éclatants aux teintes douces ou aux couleurs pastel. À cet âge, les bébés perçoivent très bien ce qu'on nomme la brillance. Pour susciter le maximum d'intérêt chez un bébé de cet âge, il faut donc choisir des objets brillants, contrastés et de formes variées.

Les états d'éveil et de sommeil

Le docteur T. Berry Brazelton a décrit six états d'éveil et de sommeil chez un bébé. Il est très important de bien connaître ces états car, selon l'état dans lequel il se trouve, le nourrisson réagira différemment à la demande de ses parents.

Au cours du **sommeil profond**, le nourrisson ne réagit ni à la voix ni aux bruits, si ceux-ci ne sont pas d'intensité trop grande, ni à la lumière, ni aux déplacements, si ces derniers sont effectués avec douceur, ni à l'animation qui peut régner autour de lui. Sa respiration est profonde et régulière et ses paupières sont bien fermées : il semble en complète relaxation. Par la suite, le nourrisson connaît une phase de sommeil irrégulier qui rappelle la phase de rêve chez l'adulte : c'est la phase de **sommeil léger**. Ses yeux bougent rapidement de droite à gauche, ou de haut en bas ; sa respiration devient saccadée et il peut grimacer ou sourire. On peut même le voir téter. Il s'éveille s'il entend des sons qu'il aime, mais un bruit ou une lumière désagréable le fait retourner au sommeil profond. Avant de s'éveiller définitivement, l'enfant passe par un **état de somnolence**. Ses paupières peuvent être ouvertes, fermées ou mi-closes. Il « grogne » ou se tortille de temps à autre, il peut même se mettre à pleurer, mais sa respiration demeure régulière. Durant cette phase dite transitoire, le nourrisson s'éveille s'il perçoit quelque chose d'enthousiasmant, mais se rendort dans le cas contraire.

La phase suivante est celle où le nourrisson est éveillé et attentif. C'est la phase **d'éveil calme**. Ses yeux grand ouverts sont mobiles et son visage est reposé. Tout ce qui l'entoure l'intéresse : il est prêt à apprendre. C'est le meilleur moment pour le stimuler. Cependant, une stimulation trop forte peut le faire basculer dans une phase plus agitée. Il n'est plus réceptif à son environnement. C'est la phase correspondant à une période de grande activité (**l'éveil agité**). Le nourrisson remue la tête, les bras et les jambes. Il émet des sons, peut gémir ou « grogner ». Son visage est tour à tour détendu ou grimaçant. Sa respiration est plus irrégulière et sa peau se colore de temps à autre. Il peut par la suite passer au troisième état d'éveil qui est celui **des pleurs et des hurlements**. S'il est seul, ses cris ont une fonction organisatrice. Dans la mesure où ils représentent une agitation intense en même temps qu'une décharge d'énergie, ces cris peuvent aider le nourrisson à traverser cette phase de transition entre l'éveil et le retour au sommeil, ou au contraire l'amener à un état d'alerte. Les pleurs peuvent également jouer un rôle de protection en isolant le nourrisson du monde extérieur, ou un rôle de communication lui permettant de faire savoir qu'il a faim ou qu'il ressent de la douleur.

L'enfant ne communique pas uniquement par ses pleurs. Longtemps considéré comme un phénomène ne se manifestant que vers le troisième mois, le vrai sourire, ou sourire social, apparaît plutôt vers la troisième semaine. Certes, si ce sourire n'est pas encore un échange, il n'en constitue pas moins une réponse au monde environnant. Les premiers sourires sociaux répondent à des événements extérieurs. Vers 6 semaines, le bébé adresse des sourires véritables, brefs et spontanés, d'abord en réponse à la voix de sa mère, puis à son sourire. À ce moment-là, le nourrisson se sert du sourire comme d'un moyen de communication.

La mémoire

Cette capacité cérébrale existe déjà à la naissance. Les nouveau-nés mémorisent tout ce qui est immédiatement nécessaire à leur survie, ainsi que tout ce qui peut leur apporter des satisfactions ou leur éviter des désagréments. De plus, les souvenirs des nourrissons sont durables : des bébés de 45 heures de vie se souviennent de réponses conditionnées 10 heures plus tôt ; des bébés de 20 jours s'en souviennent même après 10 jours, tandis que des bébés de 11 semaines reconnaissent des signaux et peuvent y répondre un mois plus tard. La mémoire est d'autant plus intense que la stimulation est répétée, ceci étant vrai pour les stimulations sensorielles et motrices.

L'imitation

Le meilleur indice de la vivacité d'esprit d'un nourrisson est peut-être sa capacité d'imitation. Jusqu'à tout récemment, les psychologues estimaient que le bébé était incapable d'imiter un adulte avant 9 mois. Or, dès les premières semaines, le nourrisson est tout à fait capable d'imiter, même si cette activité est complexe. Le bébé n'a pas la tâche facile car avant d'apprendre à reproduire des expressions, il doit d'abord comprendre que l'adulte qui lui fait des grimaces veut être imité. Enfin, le nourrisson doit se laisser convaincre d'entrer dans le jeu par ce qui n'est, en somme, qu'une récompense abstraite : la satisfaction de la personne qu'il imite.

L'habituation

La survie d'un bébé dépend de sa capacité de se protéger des stimulations trop exigeantes pour son système nerveux encore immature. Ainsi, lorsque le nourrisson est stimulé trop fortement, les réactions de ce dernier cessent après quelque temps. Sa respiration devient plus régulière, son rythme cardiaque accéléré retourne à la normale : le nourrisson entre alors dans un état de passivité. Au début, il semble essayer de demeurer dans un état de sommeil mais si l'on continue à essayer de le perturber, il se relaxe complètement et entre dans une phase de sommeil réel. En somme, il est parvenu à maîtriser ses réactions aux stimulations gênantes et s'est mis dans un état de totale indisponibilité. Cette capacité d'isolement du nourrisson est connue sous le nom d'habituation et constitue un moyen essentiel de protection dans les premières semaines de vie. En effet, de cette manière, le nourrisson peut sélectionner, parmi les stimulations, celles auxquelles il veut bien répondre.

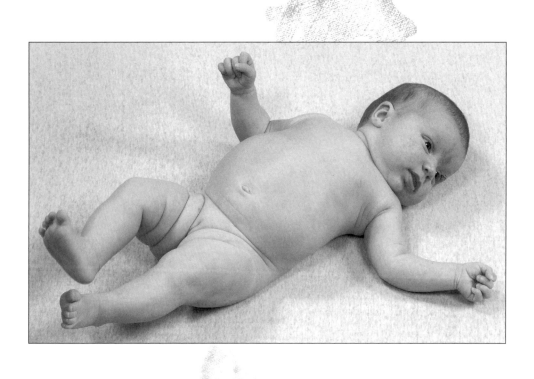

Chapitre 2

Je découvre mon univers

Les trois premiers mois de vie d'un nourrisson représentent une période d'adaptation, pour lui-même comme pour ses parents. En effet, le bébé découvre son environnement. Les stimulations de toutes sortes qu'il reçoit lui permettent de moduler son comportement afin d'apprivoiser cet environnement. La mise en éveil des différents sens du nourrisson contribue à la maturation de son système nerveux, ce dernier jouant un rôle essentiel dans l'évolution motrice. Les sens doivent donc être intacts et sollicités adéquatement pour que le développement moteur puisse se faire de façon harmonieuse.

Il peut sembler naïf d'affirmer que chaque bébé manifeste des traits de comportement qui lui sont propres. Pourtant, il en est ainsi et c'est aux parents de percevoir les messages que leur envoie leur bébé et de s'y ajuster. Le nouveau-né est-il irritable ou difficilement consolable? Ses périodes d'éveil sont-elles très agitées ou très calmes? Semble-t-il tendu ou, au contraire, relâché lorsqu'on lui fait sa toilette ou qu'on le nourrit?

Les réactions d'un bébé constituent autant d'indices permettant à ses parents d'ajuster leur comportement ou de modifier son environnement pour le rendre plus sécurisant. Par exemple, les signes qu'un bébé est stressé augmentent dans un environnement bruyant. Votre bébé sursaute-t-il, se met-il à pleurer à chaque claquement de porte ou à chaque mouvement brusque? Ceci vous indique que vous devez apprendre à fermer les portes plus doucement, à baisser la voix et à manipuler votre bébé avec plus de douceur. Ces simples modifications de comportement de la part des parents peuvent souvent être suffisantes pour leur permettre de calmer leur bébé surexcité. Les relations parents-bébé en seront d'autant meilleures, tant il est vrai qu'il s'agit bien d'une période d'apprivoisement réciproque.

Le bébé répond également à la façon d'être de ses parents. Il est donc en mesure de ressentir leur insécurité ou leur inconfort. Il n'est pas toujours facile de faire preuve d'assurance la première fois qu'on tient un nourrisson dans ses bras. Heureusement, par la force des choses, on apprend vite à être à l'aise avec un bébé et à le manipuler en toute sécurité.

Est-il important de stimuler un bébé? Risque-t-on de le surstimuler ou de le sous-stimuler? Dans ce domaine, où se situe la démarcation? Comment savoir si les stimulations offertes au bébé sont adéquates?

Premièrement, il ne faut jamais oublier que la réceptivité et la capacité d'enregistrement du nouveau-né sont limitées. En effet, celui-ci se fatigue vite. Ainsi, il ne peut écouter et fixer son attention ou son regard que durant de brèves périodes, soit guère plus de trois à quatre minutes à la fois pendant la première semaine de vie. Chaque effort est suivi d'une longue période de sommeil destinée à lui permettre de récupérer. Ce n'est donc que progressivement qu'il augmentera son temps d'attention et d'apprentissage.

Deuxièmement, il ne faut jamais tenter d'accélérer le rythme d'un bébé, de lui enseigner des choses qui ne sont pas encore à sa portée, ou encore de perturber, pour quelque raison que ce soit, le sommeil réparateur dont son cerveau a besoin pour continuer à se développer. Il faut se rappeler que, pour être efficaces, les stimulations fournies par l'environnement et en partie contrôlées par les parents doivent être adaptées aux besoins et à la personnalité du bébé. C'est donc la responsabilité des parents de bien sélectionner les différentes activités qui répondront le mieux aux besoins de leur bébé aussi bien qu'à leurs propres besoins.

Troisièmement, si le développement moteur d'un bébé dépend en partie de la qualité et de la quantité des stimulations que celui-ci reçoit, cela n'exclut pas que ces stimulations exercent un impact positif ou négatif selon le moment choisi pour l'en faire profiter. Il importe donc que le choix du moment favorable soit guidé par ce que révèlent l'observation attentive des périodes d'éveil du bébé et l'écoute des signes de stress se traduisant par des cris, une irritabilité marquée et une excitation exagérée. Ainsi, certains moments ne sont absolument pas propices à des stimulations. Par exemple, il est tout à fait inapproprié de soumettre un bébé à une multitude de stimulations visuelles, tactiles ou auditives au moment de sa tétée ou de son biberon. En effet, à ce moment-là, le bébé retire suffisamment d'information (chaleur du corps, odeur et respiration de sa maman) pour se sentir en sécurité. Il a alors besoin de toute son énergie pour combler son besoin essentiel d'être nourri. Trop sollicitée, son attention sera alors déviée vers d'autres sources de stimulations et il pourra même cesser de boire. Par contre, d'autres moments se prêtent parfaitement à des expériences nouvelles: le moment du bain ou d'un changement de couche, par exemple. Pour l'aider à relaxer, il ne faut donc pas hésiter à le masser doucement avant ou après le bain, ou au moment d'aller dormir. Il ne faut pas craindre de jouer avec son bébé, ces activités lui permettant d'améliorer son tonus musculaire.

Les parents posent souvent la question suivante : les bébés réagissent-ils tous de la même façon ? Évidemment, non. Lorsqu'un bébé ne répond pas aux attentes de ses parents, il faut que ceux-ci soient patients et lui laissent le temps de réagir par lui-même. D'autres stimulations ou d'autres mises en situation sont peut-être nécessaires pour lui permettre de fournir la réponse attendue.

Que fait le nourrisson de 0 à 3 mois au plan de la motricité ?

La première image que projette un nouveau-né est celle d'un petit être replié sur lui-même. Mais les apparences sont trompeuses. En effet, il faut se souvenir qu'un nourrisson dispose déjà d'un certain nombre de compétences et qu'il a mémorisé toutes sortes d'informations transmises par son environnement intra-utérin. À cet égard, une observation attentive de votre bébé sera fort révélatrice. Les périodes d'éveil, en s'allongeant, lui laissent plus de temps pour explorer son environnement et expérimenter le mouvement. Toute sensation est enregistrée et décodée, puis provoque une réponse, de nature motrice ou non. Bercer et caresser un nourrisson semblent des activités tout à fait naturelles et pourtant, ces gestes simples et spontanés fournissent à un bébé une foule d'informations sensorielles.

En poursuivant l'observation, il est facile de constater que le nourrisson a conservé la position de flexion qu'il avait dans l'utérus. Cette position lui permet de découvrir ses mains placées à proximité de sa bouche, l'un des premiers organes d'exploration. De magnifiques photographies de fœtus baignant dans le liquide amniotique nous montrent clairement que ceux-ci peuvent déjà sucer leur pouce. Les mains d'un nourrisson sont refermées, le pouce se trouvant à l'intérieur ou à l'extérieur de la paume. Il agrippe votre doigt si vous le glissez dans l'une de ses mains. Ce réflexe d'agrippement, normal dans les deux à trois premiers mois de vie, doit disparaître progressivement par la suite pour laisser place à une préhension volontaire.

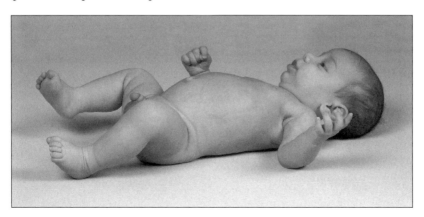

En position semi-assise ou sur le dos, un bébé essaie de suivre de la tête les déplacements des personnes qui l'entourent. La flexion physiologique est encore visible mais le nourrisson commence à s'allonger sous l'effet de la gravité ; il donne des coups de pieds de plus en plus énergiques. En même temps, il essaie de plus en plus d'amener ses mains vers le centre de son corps. Il tente d'attraper les lunettes ou les cheveux de toute personne qui se penche vers lui. Il a envie de communiquer : il sourit et gazouille. L'intérêt pour son environnement et la poursuite visuelle dirigent davantage les mouvements de la tête et, par conséquent, ceux du corps. Le développement du bébé est directement dépendant de la variété et de la qualité de la stimulation de son environnement. Le nourrisson devra recevoir des stimulations des deux côtés pour éviter le développement d'une préférence.

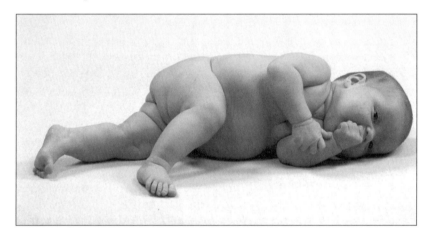

Lorsqu'il est placé sur le côté, il aura tendance à se retourner sur le dos ou à tomber sur le ventre. Si on l'aide à garder la position, il tente d'amener les mains ensemble ou à la bouche.

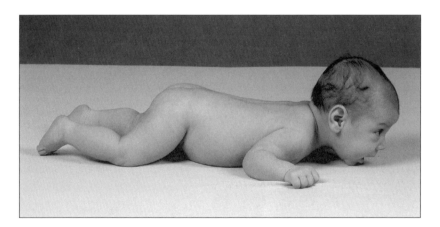

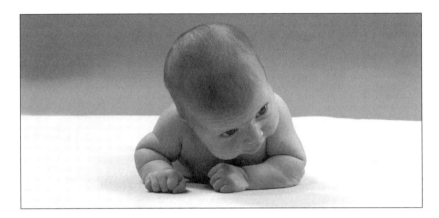

On remarque que lorsque le nourrisson est couché sur le ventre, il semble faire des tentatives pour soulever sa tête et la poser de côté. La répétition de ce mouvement de rotation imposé par le réflexe de survie lui permet de commencer à contrôler sa tête. Ce début de contrôle est évidemment lié aux autres sens comme la vision et l'audition, et exige que le bébé soit réceptif à son environnement. Au début, le poids de son corps est davantage concentré sur la tête et les épaules. À mesure que le bébé s'allonge sous l'effet de la gravité et que sa mobilité augmente, il acquiert le contrôle de la tête. Un jeu d'équilibre se fait entre les fléchisseurs et les extenseurs et influence également les mouvements qui se font entre les diverses parties du corps. Un bébé doit stabiliser une partie de son corps avant de pouvoir en libérer une autre. Ainsi, lorsqu'il est couché sur le ventre, le bébé doit placer le poids de son corps sur ses avant-bras avant de pouvoir soulever sa tête à environ 45 degrés et le haut du tronc. Il est donc essentiel de coucher régulièrement le bébé sur le ventre lorsqu'il est éveillé, même s'il n'apprécie guère cette position. Celle-ci joue un rôle déterminant dans l'acquisition de la motricité de la tête, du contrôle des épaules et du tronc. Dans cette position, un bébé connaît des sensations tout à fait différentes de celles qu'il ressent lorsqu'il est couché sur le dos.

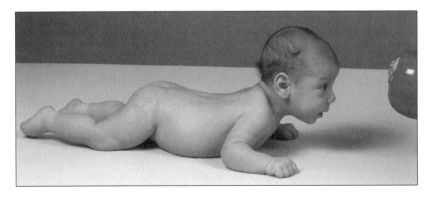

Le nourrisson prématuré qui n'a pas poursuivi le dernier trimestre dans le ventre de sa maman n'a pas expérimenté la position en flexion physiologique et il adopte une posture plus allongée lorsqu'il est couché sur le dos, car les muscles extenseurs sont prédominants. Ses mains viennent moins spontanément à sa bouche car ses bras sont en appui loin du visage. Placé sur le côté, il conteste la position en se poussant sur le dos ou en tombant sur le ventre par des mouvements désorganisés de tout le corps. On remarque que même si on le stabilise, ses mains ne viennent pas ensemble au centre du corps ou à la bouche.

Lorsqu'il est couché sur le ventre, l'activité des muscles extenseurs du prématuré est exagérée, ce qui l'amène à trop relever la tête et à arquer son dos, les bras demeurant sans appui en retrait vers l'arrière. Le nourrisson prématuré a donc besoin d'assistance pour être mieux équilibré lorsqu'il est sur le ventre.

En position assise dans les bras de l'adulte, comme le nourrisson commence à peine à contrôler sa tête, il doit être bien supporté au niveau du tronc. Le bébé prématuré, en position assise dans une petite chaise ou dans les bras de l'adulte, aura tendance à se pousser vers l'arrière et à se raidir, l'activité exagérée des muscles extenseurs étant responsable de cela.

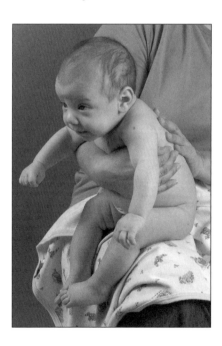 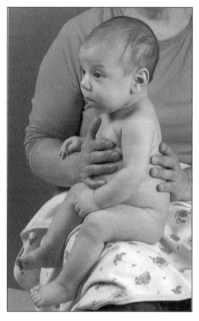

Tenu debout, le nourrisson se redresse d'abord sur ses jambes et ses pieds en raison des réflexes archaïques de support et de marche automatique. Vers l'âge de 2 mois, il commence à s'écraser si on lui demande de prendre du poids sur ses pieds, les réflexes étant moins dominants.

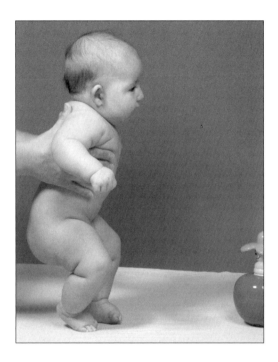

Le bébé prématuré, tenu debout, a tendance à raidir ses jambes et à prendre appui sur la pointe des pieds et ceci même après 2 mois d'âge corrigé, les réflexes archaïques étant encore très vifs. Les parents ont l'impression que leur enfant est «très bon» et ne demande qu'à être debout. Mais il ne faut pas entrer dans ce jeu car ceci se fera au détriment de la qualité des préalables à une marche harmonieuse.

Jusqu'à 3 mois, les positions d'éveil d'un bébé se résument essentiellement à celles dans lesquelles on l'a placé : allongé sur le dos, sur le ventre, sur le côté, ou encore demi-assise. Toutes ces positions encouragent les jeux d'équilibre qui se produisent entre les différents groupes musculaires favorisant le contrôle postural de même que la mobilité de la tête et des membres supérieurs.

Regarde-moi!

Les questions contenues dans la section *Que faire?* vous aideront à identifier vos habitudes et celles de votre bébé. Vous pourrez par la suite mettre en corrélation les recommandations mentionnées dans la rubrique en fonction de vos habitudes.

Que faire ?

◆ Votre bébé se pousse-t-il vers l'arrière ou s'arque-t-il en s'appuyant sur les pieds et la tête en position couchée ?

Enlevez la source d'appui sous les pieds.

◆ Regarde-t-il plus souvent vers le haut ?

Si votre bébé regarde vers le haut :
– abaissez la source de stimulation ;
– faites un appui sur son thorax avec votre main pour ramener son regard vers le bas ;
– allongez sa nuque en glissant une main sous sa tête au niveau des oreilles, sans la soulever, pour abaisser le menton.

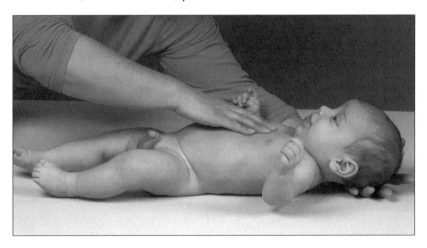

◆ Soulevez-vous toujours votre bébé de la même façon pour le prendre dans vos bras ?

Variez votre façon de le prendre en le ramenant en boule pour le soulever dos à vous après l'avoir roulé sur le côté.

◆ Transportez-vous votre bébé le plus souvent allongé ?

Transportez-le en boule pour favoriser la flexion physiologique.

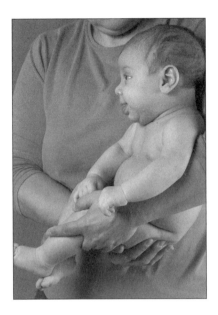
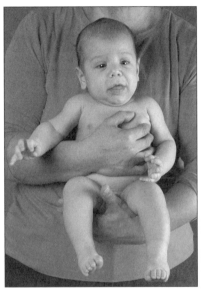

◆ Votre bébé reste-t-il trop en appui sur le matelas en dorsal ?

En période d'éveil, placez des rouleaux autour de son corps pour encourager les mouvements contre gravité de ses bras et de ses jambes.

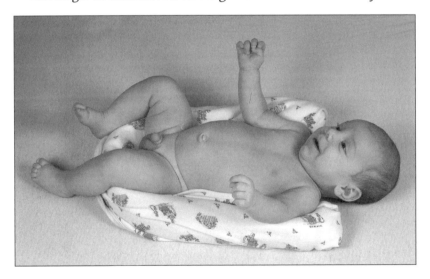

◆ Votre bébé accepte-t-il le coucher sur le côté ou retourne-t-il tout de suite sur le dos en extension ?

Roulez votre bébé vers le côté en lui soulevant une jambe et en allongeant l'autre. Puis, assurez-vous que la tête reste alignée avec le tronc une fois en position latérale et qu'elle ne pousse pas vers l'arrière. Allez chercher son regard avec un jouet attrayant pour le ramener vers le bas. Bercez doucement votre bébé dans cette position pour faciliter la détente.

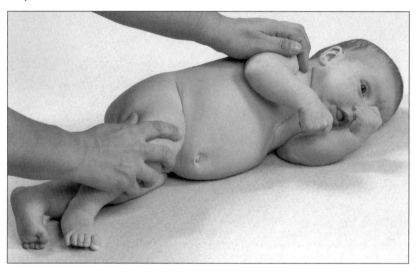

◆ Déposez-vous votre bébé directement sur le ventre ?

Faites-le participer en le roulant, à partir de la position dorsale ou latérale.

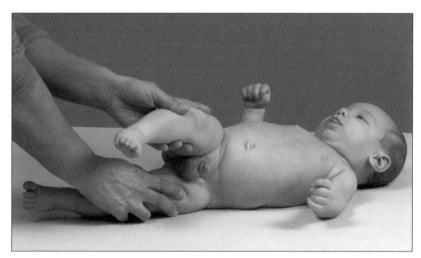

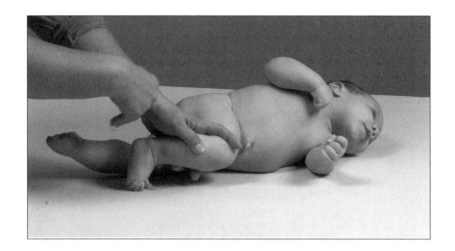

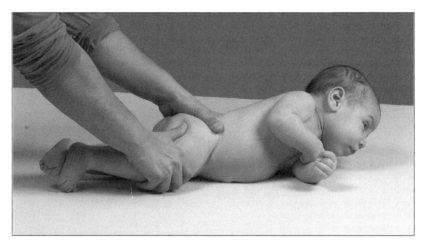

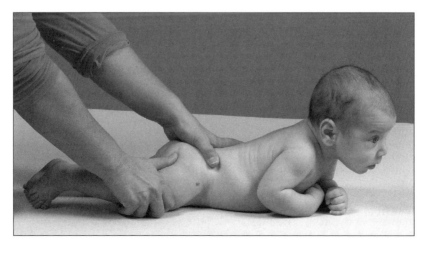

◆ Votre bébé accepte-t-il la position ventrale?

Réconciliez-le avec cette position en abaissant ses fesses et en soulevant légèrement son thorax.

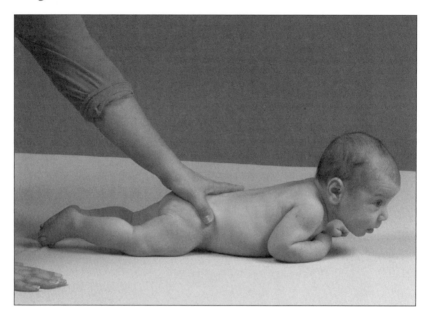

◆ Sa tête est-elle en appui et ses fesses surélevées?
A-t-il les bras tendus vers l'arrière et le dos arqué?

Une autre alternative: placez-le de travers sur vos cuisses.

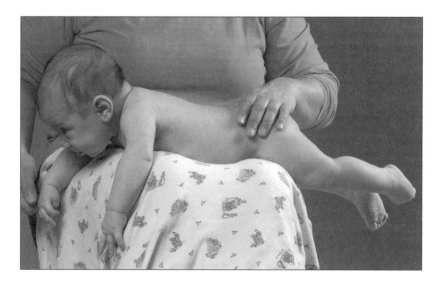

À ce stade-ci du développement de votre enfant, les positions à privilégier ne sont pas la station assise ni la station debout.

Quand votre enfant doit être assis dans une chaise ou dans son siège d'auto, assurez-vous que la tête et le corps sont bien alignés. Si nécessaire, ayez recours à des rouleaux.

Évitez la position debout, surtout si votre bébé se met sur la pointe des pieds. Si vous utilisez le porte-bébé pour transporter votre nourrisson, faites-le pour une courte durée en vous assurant de varier la position de sa tête régulièrement.

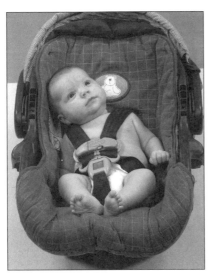 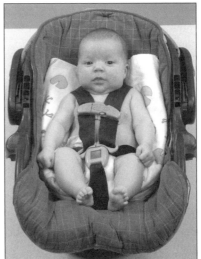

Quel est l'impact de « Dodo sur le dos » ?

Au milieu des années 90, la Société canadienne de pédiatrie recommandait de coucher les bébés sur le dos ou sur le côté durant le sommeil pour éviter la mort subite chez le nourrisson. Depuis environ les huit dernières années, on recommande de les coucher uniquement sur le dos jusqu'à ce qu'ils aient la capacité de se retourner par eux-mêmes. D'après notre expérience, les parents, même ceux qui n'en sont pas à leur premier bébé, suivent cette recommandation scrupuleusement.

Dans les premiers mois de vie, quand il est éveillé, les parents préfèrent installer leur bébé en position dorsale ou dans certains « appareils » tels la balançoire, la chaise vibrante ou la sauteuse, pour ne citer que ceux-là. Les positions ventrale et latérale ne sont plus expérimentées par le nourrisson ou le sont très peu.

Nous constatons une augmentation croissante des aplatissements de la boîte crânienne qui créent chez certains parents des soucis quant à l'aspect esthétique. Il faut se rappeler qu'un bébé couché en permanence sur le dos n'expérimente pas les positions latérale et ventrale qui sont importantes pour vivre des expériences sensorimotrices variées. Celles-ci s'avèrent essentielles au développement des réactions posturales ainsi qu'à un bon modelage de la boîte crânienne.

Les nourrissons qui n'ont jamais été placés sur le ventre en période d'éveil dans les premiers mois de vie montrent un décalage de leurs performances motrices. La position dorsale devient la préférée même durant les périodes d'éveil. Ces nourrissons deviennent moins performants, poussent en extension, adorent être tenus debout.

Nous ne saurions parler de positionnement sur le dos sans aborder la question de l'environnement. Un nourrisson stimulé toujours du même côté aura tendance à tourner la tête de ce côté. Le poids du corps étant du côté où la tête est tournée, la mise en charge sur la boîte crânienne se fera aussi de ce côté, entraînant un aplatissement. Ceci crée un déséquilibre au niveau de la musculature ainsi qu'un impact sur la symétrie, la mobilité et le contrôle postural.

Les acquisitions motrices du bébé ainsi que les préférences qu'il manifestera par la suite pour certaines positions dépendent des expériences auxquelles il aura été soumis, comme par exemple d'être approché ou d'être nourri toujours du même côté, ou d'être toujours couché dans la même position. Notre pratique nous permet d'affirmer que plusieurs bébés présentent, dès les premiers mois de leur vie, des déséquilibres d'ordre musculaire attribuables à un manque de variété des positions dans lesquelles ils sont placés, ainsi qu'à la rareté ou à la mauvaise qualité des stimulations qui leur sont fournies. Ainsi, un certain nombre de torticolis peuvent n'être que d'origine positionnelle, résultant de répétitions d'habitudes imposées au bébé et associées à la façon de boire, d'être transporté ou d'être couché.

Nous soutenons la recommandation du « Dodo sur le dos ». Toutefois, il faut que les parents soient très observateurs...

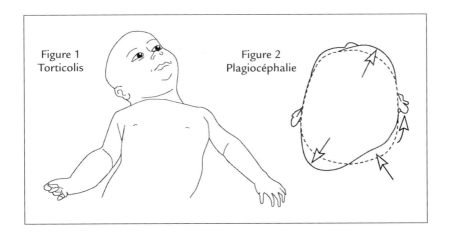

Figure 1
Torticolis

Figure 2
Plagiocéphalie

COMMENT ÉVITER LE TORTICOLIS POSITIONNEL ET
L'APLATISSEMENT DE LA BOÎTE CRÂNIENNE (PLAGIOCÉPHALIE)

Questions	Réponses
Votre bébé dort-il avec la tête toujours tournée du même côté ?	Tentez de tourner sa tête de l'autre côté pendant qu'il dort, tout en gardant la position couchée sur le dos.
En période d'éveil : Regarde-t-il surtout vers le plafond ou plus d'un côté que de l'autre ?	Captez l'attention du bébé et amenez-le à modifier la position de sa tête en faisant appel à son regard.
Maintient-il souvent la tête tournée du même côté ?	Placez les jouets autant du côté droit que du côté gauche de manière à ce que la source de stimulation soit située plus bas que le niveau de ses yeux.
A-t-il de la difficulté à tourner la tête librement et de façon égale des deux côtés, en coucher dorsal comme en coucher ventral ?	Modifiez les stimuli de son environnement pour obtenir une variété de mouvements de la tête.
Encouragez votre bébé à maintenir sa tête au centre avec le menton rentré (surtout vers l'âge de 3-4 mois) et assurez-vous que sa tête et son tronc sont bien alignés. Pour ce faire, placez les jouets (mobile, toutous, etc.) sur son ventre ou à cette hauteur.	
Quelle posture adopte votre bébé ? Votre bébé arque-t-il son dos ou se raidit-il ?	Découragez les poussées excessives avec ses pieds en enlevant tout appui.
Adopte-t-il une posture asymétrique comme la position en « C » ?	Amenez le bébé en boule en soulevant ses genoux vers son ventre.
S'incline-t-il toujours du même côté ?	Évitez les activités qui amènent bébé à se raidir ou à s'arquer.
Si votre bébé adopte une posture asymétrique sur le dos ou s'il s'incline toujours du même côté en position assise, il faut le réaligner.	
Pendant l'allaitement ou le biberon, votre bébé a-t-il toujours la tête tournée du même côté ?	Assurez-vous de favoriser les rotations de la tête à gauche et à droite ou encore que la tête reste bien centrée.
Approchez-vous votre bébé toujours du même côté lorsqu'il est dans son lit, sur la table à langer, dans sa petite chaise ou dans sa poussette ?	Variez la position du bébé dans son lit ou la façon de l'approcher afin de stimuler autant la rotation vers la gauche que la rotation vers la droite de la tête.

Transportez-vous toujours votre bébé du même côté?	Variez le côté lorsque vous le transportez dans vos bras.
En période d'éveil, installez-vous toujours votre bébé sur le dos ou dans sa petite chaise?	Donnez à votre bébé une variété de positions (ex. sur le côté droit, le gauche et sur le ventre) en période d'éveil sous surveillance.
Évitez de laisser votre bébé trop longtemps dans une position où sa tête reste tournée ou penchée du même côté, comme c'est souvent le cas lorsqu'il est assis dans sa petite chaise ou dans le siège d'auto.	

Source: *Torticolis et plagiocéphalie. Dodo sur le dos? Oui mais… Surveillez la position de la tête du bébé au repos et à l'éveil!* CHU Sainte-Justine, 2005.

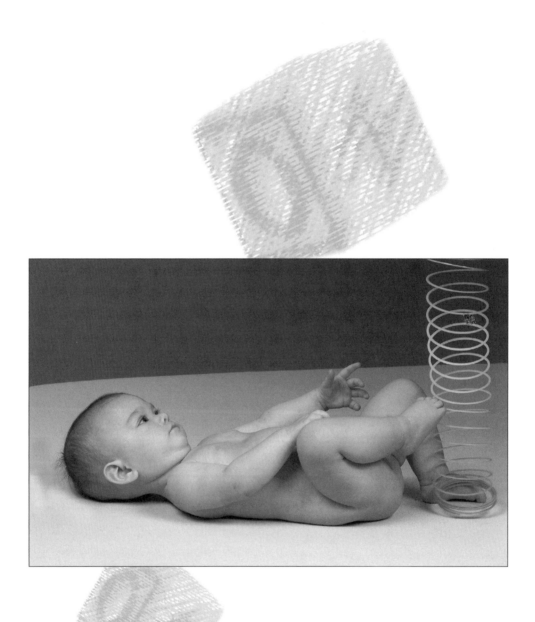

Chapitre 3

Regarde-moi faire

Les gains moteurs du bébé de 4 mois

À 4 mois, un bébé fournit toutes sortes d'indices concernant son développement moteur. Cette étape très importante mérite donc une attention
toute particulière. Tous les préalables essentiels à la victoire du bébé sur
les effets de la gravité ont été obtenus sur le ventre, le dos et le côté au
cours des premiers mois de vie. Vers 4 mois, il est facile de constater qu'un
bébé bouge plus librement et que ses mouvements paraissent mieux
contrôlés. Cette nouvelle aisance de sa part s'explique par la maturation
plus avancée de son système nerveux. Certains réflexes diminuent
d'intensité tandis que d'autres disparaissent complètement, ce qui permet
à votre bébé de mieux contrôler sa tête et ses épaules, étape préliminaire
à un contrôle des autres parties de son corps.

Le bébé peut maintenant maintenir sa tête au centre dans l'axe de son
corps, quelle que soit la position dans laquelle il se trouve, et jouir ainsi
d'une sorte d'indépendance de la tête. Il s'agit là d'une des premières
manifestations du phénomène dit « de dissociation ». Le bébé peut bouger
volontairement un seul segment de son corps, dans ce cas-ci la tête, sans
que cela n'affecte le reste du corps. Couché sur le dos, il contrôle bien sa
tête et suit du regard ses mains qu'il ramène au centre de son corps.
Libérées de la pesanteur, ses deux mains peuvent saisir un jouet ou un
objet convoité, à condition toutefois que ce dernier ne soit pas trop
éloigné de lui. Sa coordination œil-main est améliorée. Son désir de
communiquer l'amène à émettre des sons : il pousse des cris aigus et rit
aux éclats.

À 4 mois, en plus de porter ses mains à son visage et à sa bouche, le
bébé tente également de ramener ses mains sur le sein ou sur le biberon
lorsqu'il boit. Les mouvements d'ouverture et de fermeture de ses mains
sont mieux contrôlés. Il peut tenir un objet dans sa main et il se hasardera

bientôt à le passer à son autre main. Couché sur le dos, la nuque s'allonge, le regard s'abaisse, il poursuit l'exploration de son corps en caressant son ventre et ses genoux. Cette activité permet d'augmenter la flexion du tronc et des épaules qui, petit à petit, se libèrent également des effets de la pesanteur. Parallèlement au contrôle des membres supérieurs, un bébé de cet âge amorce des mouvements du bassin d'avant en arrière, et d'un côté à l'autre. Ces mouvements sont encore une fois dus à l'augmentation de la mobilité du corps et aux transferts de poids. Les coups de pied deviennent de plus en plus fréquents et alternés. Il arrive même au bébé de serrer les cuisses.

Il n'est pas rare de voir des bébés qui, placés sur le dos, tombent sur le côté lorsqu'ils s'amusent avec leurs genoux. La première fois, cette chute n'est qu'accidentelle, mais elle devient vite intentionnelle. C'est de cette façon qu'ils apprennent à basculer du dos sur le côté. Ce changement de position est habituellement considéré comme l'une des premières formes d'indépendance au sol. La position sur le côté constitue une des positions de transition et exige que le bébé équilibre parfaitement ses muscles fléchisseurs et extenseurs. Si tel n'est pas le cas, le bébé se retrouve sur le ventre ou sur le dos. Les positions de transition sont primordiales. C'est en observant la façon dont un bébé change de position qu'on peut déceler d'éventuels problèmes associés à la motricité.

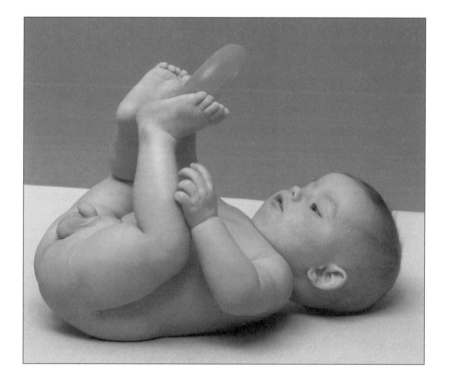

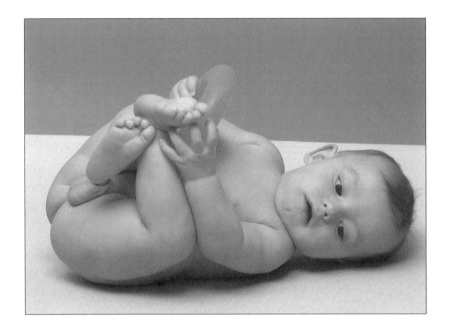

Le bébé prématuré à 4 mois d'âge corrigé bouge encore beaucoup de façon désorganisée. Son attention visuelle est souvent de courte durée. Couché sur le dos, il n'est pas rare de le voir se déplacer en faisant le pont. Il aime donner des coups de pied stéréotypés et intempestifs. Il a tendance à accrocher ses deux mains ensemble ou sur ses vêtements, ou encore à sa bouche. Placé en latéral, il n'y reste toujours pas, les muscles extenseurs étant plus actifs que les fléchisseurs. Il se retourne sur le dos. Couché sur le ventre, le nourrisson prématuré est encore inconfortable. La position des bras est souvent éloignée du corps, ce qui ne permet pas un bon appui. Il peut facilement arquer son dos de façon exagérée.

En position ventrale, le nourrisson place le plus souvent ses coudes à l'avant de ses épaules, prend appui sur ses avant-bras, relève la tête à 90 degrés et soulève la partie supérieure du tronc afin d'explorer son environnement. L'appui qu'il prend sur ses avant-bras incite le bébé à contrôler sa tête et à stabiliser ses épaules et son tronc.

Les efforts qu'il fait pour attraper les objets convoités que l'on place devant lui provoquent une extension de son tronc et un début de « transfert de poids », c'est-à-dire une modification de la répartition du poids de son corps. Ainsi, il tentera de déplacer tout son poids du côté gauche pour libérer son bras droit, et vice-versa. Les transferts de poids effectués dans cette position favorisent la mobilité au sol des coudes, des poignets et des mains. Ces mouvements lui procurent une foule de sensations nouvelles et permettent un allongement ou un raccourcissement du tronc. Cette capacité de pouvoir transférer partiellement son poids représente pour le bébé une étape cruciale de son développement. Il commence ainsi à se déplacer. Il peut se retrouver alors au pied du lit. Il peut également commencer à se retourner sur le dos en bougeant la tête, le poids de cette dernière faisant basculer le corps, au début de manière «accidentelle». Il n'est toutefois pas encore capable de se tourner lui-même sur le ventre. La position ventrale est essentielle à l'acquisition des préalables pour ramper, pour la position à quatre pattes et pour la verticalisation.

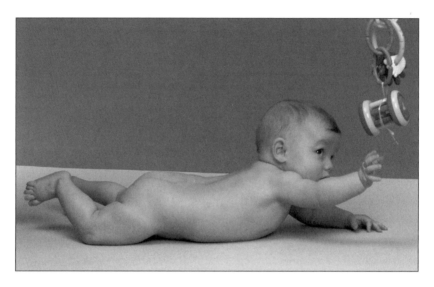

À 4 mois, un bébé ne peut pas encore se mettre de lui-même en position assise; cette capacité n'apparaît que quelques mois plus tard. Cependant, il essaie d'y parvenir si on le couche sur le dos et qu'on le laisse s'accrocher à soi. En effet, il peut se tirer jusqu'à se retrouver assis. C'est la première étape de ce qu'on nomme le «tiré assis». Le bébé de cet âge peut être placé en position assise; il restera alors dans cette position pendant de brèves périodes, le tronc penché en avant, en appui sur ses mains. C'est la position dite en «tripode».

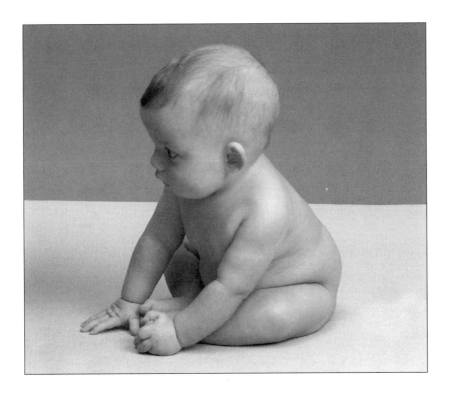

Tenu assis, le bébé prématuré a un dos trop droit et il a tendance à se pousser vers l'arrière. Si on lui présente nos doigts lorsqu'il est couché, on remarque qu'il ne se tire pas de lui-même. Par contre, si on le tire par ses mains, c'est avec plaisir qu'il se raidit pour se mettre debout sans passer par la station assise.

En position debout, le nourrisson de 4 mois s'écrase, ses jambes ne le supportant plus. Il a perdu son réflexe de redressement automatique et la prochaine étape, dans quelques mois, sera celle du redressement volontaire.

Tenu debout, on retrouve souvent le nourrisson prématuré sur la pointe des pieds malgré le fait qu'il soit capable de descendre sur les talons.

Les gains moteurs d'un bébé de 4 mois, comme il est facile de le constater, sont fort substantiels. En effet, à cet âge, un bébé contrôle sa tête sur le dos, sur le ventre et en tiré-assis. Son tronc et ses membres supérieurs se libèrent des effets de la pesanteur et ébauchent des mouvements volontaires ; ses membres inférieurs également, mais à un degré moindre. Lorsqu'on place un bébé en position assise, son tronc a moins besoin d'être soutenu. Enfin, lorsqu'on le change de position dans son lit ou dans nos bras, il semble s'aider en réajustant partiellement sa position.

Regarde-moi!

Les questions contenues dans la section *Que faire?* vous aideront à identifier vos habitudes et celles de votre bébé. Vous pourrez par la suite mettre en corrélation les recommandations mentionnées dans la rubrique en fonction de vos habitudes.

Que faire ?

◆ Votre nourrisson de 4 mois a-t-il de la difficulté à garder sa tête au centre pour jouer quand il est couché sur le dos?

Placez le jouet ou votre visage plus bas que le niveau des yeux de votre bébé, au centre de son corps.

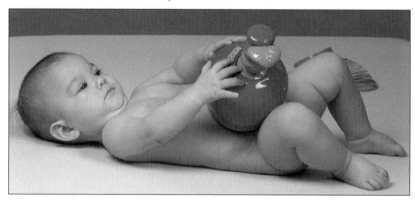

◆ Votre bébé a-t-il souvent les bras en croix ou en chandelier? Arrive-t-il à toucher ses genoux lorsqu'il est sur le dos?

Placez le jouet sur son ventre pour qu'il ramène ses bras vers le centre. Soulevez ses fesses de quelques centimètres au-dessus du plan horizontal pour rapprocher les genoux de ses mains.

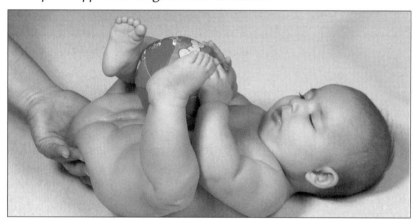

◆ Garde-t-il la position des bras en croix ou en chandelier quand vous le transportez ?

Transportez-le pour que ses mains puissent venir ensemble se toucher.

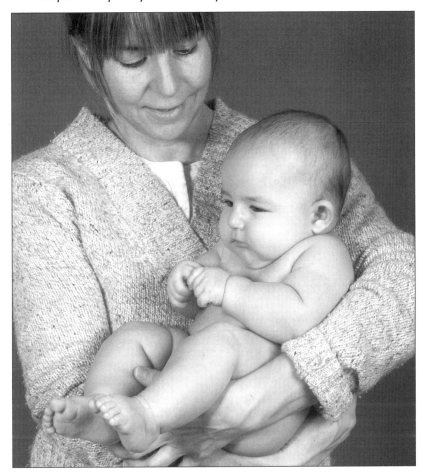

◆ Se place-t-il en position latérale pour jouer ? Peut-il le faire d'un côté comme de l'autre ?

Quand il est sur le dos, amenez-le à jouer avec ses genoux et profitez-en pour le rouler sur le côté, tête et tronc alignés, autant à droite qu'à gauche.

La position latérale est importante pour acquérir les retournements du dos au ventre et du ventre au dos. Prenez l'habitude de faire participer votre bébé aux changements de position et ne le placez pas d'emblée sur le dos ou sur le ventre.

◆ Votre bébé soulève-t-il sa tête pour rouler sur le ventre ?

Faites la roulade vers le ventre en exerçant une pression au niveau du tronc. Assurez-vous que la tête se soulève latéralement.

◆ Votre bébé reste-t-il sur le ventre pour jouer ?

Placez un jouet devant votre enfant au centre de son corps. Ramenez ses bras devant ses épaules s'ils n'y sont pas. Faites une pression de la main sur les fesses si elles demeurent surélevées.

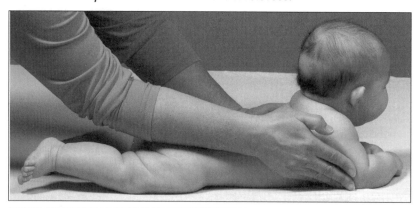

Si votre bébé ne veut pas rester longtemps sur le ventre, vous pouvez jouer avec lui en le faisant revenir sur le dos. Puis vous recommencez la roulade vers le ventre.

◆ Tenu assis, votre bébé :
  · se pousse-t-il vers l'arrière ?
    Si l'enfant pousse avec ses talons dans sa chaise, soulevez les genoux avec un petit rouleau afin de garder les pieds dans le vide.
    S'il pousse vers l'arrière, quand il est assis sur vous, mettez-le sur votre cuisse, les pieds dans le vide, les hanches bien fléchies.
    Transportez-le assis «en petit bonhomme». (voir la photo à la page 47)
  · s'écrase-t-il vers l'avant ?
    Jouez avec lui assis sur vous devant une table. Incitez-le à soulever ses bras pour venir chercher un jouet sur la table. Supportez son tronc avec vos mains.
  · s'incline-t-il sur le côté ?
    Stabilisez le tronc au centre avec des rouleaux de chaque côté comme c'est expliqué au chapitre précédent. Assurez-vous que le bassin est bien rectiligne. Utilisez un petit rouleau sous les genoux pour garder la bonne position.

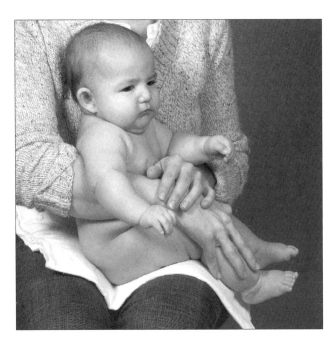

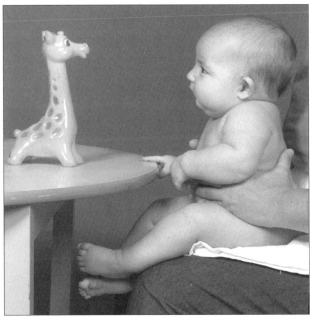

Enlevez tout appui au niveau des pieds si votre bébé aime encore trop la position debout.

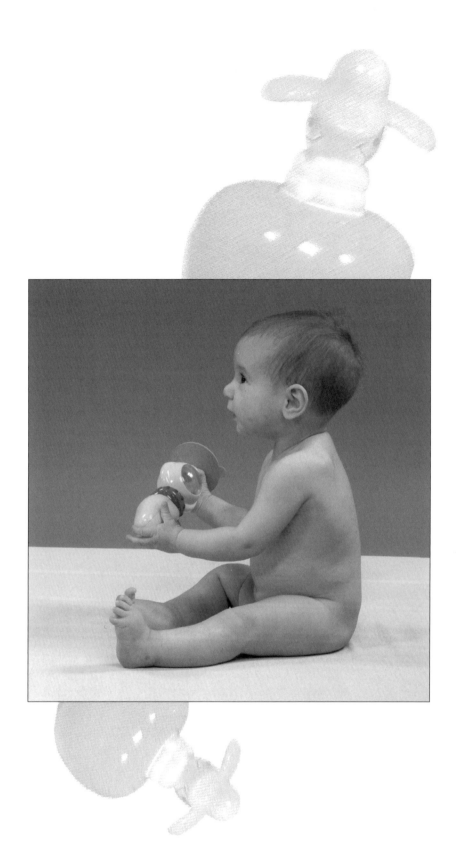

Chapitre 4

Je joue assis

Entre le 5ᵉ et le 7ᵉ mois

La phase de développement qui s'effectue entre le cinquième et le septième mois permet au bébé d'affiner sa préhension. Son intérêt pour tout ce qui l'entoure augmente. Il commence à percevoir les distances et à tendre les bras en direction des objets qu'il convoite. Il contrôle l'ouverture et la fermeture de ses mains et porte spontanément à sa bouche les objets qu'il saisit. Il peut même passer un objet d'une main à l'autre. En même temps, son gazouillis devient plus intentionnel. Il essaie d'attirer notre attention et tourne la tête dans notre direction quand on l'appelle. Il continue à explorer et à apprivoiser son environnement.

Le nourrisson, couché sur le dos, agrippe ses genoux et s'amuse de plus en plus à aller chercher ses pieds qu'il porte à sa bouche. Ce jeu a pour effet d'allonger la chaîne musculaire postérieure (les muscles de la nuque, du dos et des jambes) et de renforcer la chaîne musculaire antérieure (les muscles du cou, des épaules et de l'abdomen). Les mouvements des jambes se précisent de plus en plus, comme en témoignent les coups de pied dissociés et volontaires. Toujours en position dorsale, un bébé de cet âge tente de se soulever les fesses en prenant appui sur les épaules, la tête et les pieds. On dit qu'il « fait le pont ». C'est ainsi que commencent une mise en charge sur les pieds et un début de contrôle du bassin. En variant les positions, en remuant le bassin d'avant en arrière ou d'un côté à l'autre, il acquiert une certaine mobilité qui lui servira par la suite à passer d'une position à une autre, à se rééquilibrer (si besoin est) et à se déplacer.

La position dorsale représente une position extrêmement facile pour les bébés de cet âge. Ils y restent de moins en moins longtemps, préférant à la position dorsale les « positions-défis » que représentent, pour eux, les positions ventrale, latérale, assise et à quatre pattes. Cette dernière position est d'ailleurs entièrement nouvelle pour eux, les autres positions demandant simplement à être mieux contrôlées.

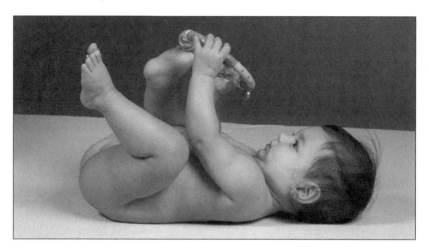

À cet âge, un bébé peut donc facilement tourner du dos sur le côté, puis sur le ventre, mais la façon dont il s'y prend dépend de son tonus musculaire. En effet, s'il veut attraper un jouet placé sur le côté, il peut s'y rendre soit en se roulant en boule, soit en relevant la tête et le bras qui maintenant sont libérés de la pesanteur. Les roulements du dos au ventre et du ventre au dos représentent une forme d'indépendance au sol plus évoluée.

La position latérale doit davantage mettre à contribution les chaînes musculaires postérieure et antérieure. Lorsque ces chaînes musculaires sont bien équilibrées, le bébé peut prendre la position latérale et la garder pour jouer. Ces activités lui permettent d'expérimenter une nouvelle gamme de sensations et de découvrir une liberté et une variété de mouvements.

Nous avons déjà mentionné que le bébé commence à apprécier la position ventrale parce que celle-ci requiert moins d'effort de sa part tout en lui apportant plus de satisfaction. Il commence à être beaucoup plus actif en position ventrale. Ainsi, il ne se contente plus de soulever un bras pour saisir un objet; il est maintenant capable de soulever tout un côté de son corps et de le tourner afin d'aller chercher un objet qu'il convoite: on dit alors que le bébé pivote. Ce mouvement de pivot précède les mouvements de reptation. En position ventrale, l'extension du corps ne se limite plus aux bras mais atteint maintenant les jambes. Ainsi, lorsqu'on soulève le bébé à bout de bras, on a l'impression qu'il « fait l'avion ». Remis par terre, sur le ventre, il est alors en extension totale et effectue des mouvements dits « de nage ». Toujours sur le ventre, il ne se contente plus de soulever simplement les bras mais peut également pousser sur ses mains, soulever son tronc et bien aligner ses jambes. Il ne faut pas se surprendre de voir bébé reculer plutôt qu'avancer. Les poussées sur les mains entraînent un balancement du bassin et des tentatives pour soulever ce dernier, ce qui le prépare alors à la position à quatre pattes.

Il est important de lui laisser expérimenter toutes ces nouvelles sensations et positions car celles-ci sont toutes essentielles à l'évolution de ses capacités motrices. Ainsi, il contrôle de mieux en mieux son corps, devient apte à coordonner et à dissocier ses mouvements. En somme, il peut maintenant avancer au sol. Toutefois, il importe que le bébé ne se limite pas à une seule position mais qu'il en expérimente une variété. Lorsqu'il se met en extension, il faut s'assurer qu'il peut revenir en flexion. Tous les essais qu'il fait pour tendre un bras en s'appuyant sur l'autre, tous les transferts de poids, les mouvements de nage, de pivot et de reptation sont effectués de façon malhabile au début, mais sont de plus en plus réalisés de façon dissociée et assurée par la suite.

Le bébé n'est probablement pas encore capable de s'asseoir seul, mais il est cependant très fier de pouvoir rester en position assise, si bien qu'il ne manque pas une occasion d'y arriver. Dès qu'on lui présente une main, il s'y agrippe et essaie de s'en servir pour s'asseoir. Il contrôle alors parfaitement sa tête et tout son corps participe à ce mouvement.

Son équilibre est encore bien précaire en position assise. C'est la raison pour laquelle il place le plus souvent ses mains vers l'avant de son corps pour se stabiliser et revient à une phase de fixation. Ses bras restent prudemment près de son corps et il n'ose pas s'aventurer trop loin, préférant se mettre à pleurer si un jouet se trouve hors de sa portée. L'appui que constituent ses mains lui est cependant de moins en moins indispensable. Le tronc se redresse et les mains perdent progressivement leur fonction de support. Les bras se libèrent davantage de la pesanteur, les jambes servant alors à stabiliser le corps. La position assise se consolide en même temps que les réactions d'équilibre augmentent.

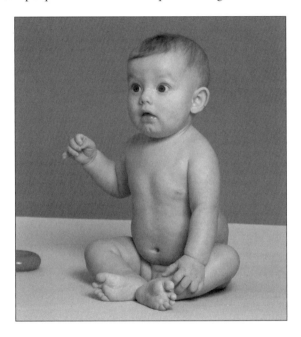

Par la suite, une plus grande mobilité lui permet d'effectuer des rotations du tronc et des transferts de poids qui le rendront apte à conquérir de nouveaux espaces et à s'aventurer plus loin tout en préservant son équilibre. Si le contrôle de la position assise tarde à être assuré, le bébé continue à utiliser ses mains pour se protéger spontanément en avant et sur les côtés. Ses réactions de protection l'empêchent ainsi de tomber et de se faire mal. À cet âge, le bébé peut parfois refuser de rester assis. Il tente alors de retourner au sol en s'allongeant maladroitement vers l'avant ou vers le côté. Progressivement, le contrôle s'améliore et certains bébés essaient de se mettre à quatre pattes. Toutefois, à cet âge, cette position demeure instable. On peut souvent voir le bébé se balancer d'avant en arrière. Il faut alors le laisser faire parce que cette activité lui procure énormément de stimulations dans une nouvelle perspective.

En position debout (voir page suivante), certains bébés adorent sauter sur les genoux de leurs parents. Ils ont encore besoin d'un soutien au niveau du tronc. La base d'appui étant réduite aux deux pieds, le bébé a alors tendance à immobiliser ses bras et son tronc pour se stabiliser. Il bouge les jambes de façon saccadée.

Entre 5 et 7 mois d'âge corrigé, l'attention à l'environnement est encore souvent de courte durée chez le nourrisson prématuré. Il passe rapidement d'une activité à l'autre. Il se désorganise facilement et doit faire plus de tentatives pour acquérir et contrôler les activités motrices car il utilise encore beaucoup ses muscles extenseurs.

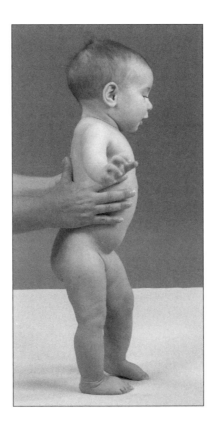

Le coucher sur le dos demeure la position préférée du prématuré. Il se déplace même dans cette position. Il fait moins de mouvements contre gravité avec ses membres supérieurs. Il expérimente peu les changements de poids d'un côté à l'autre du corps. Il a encore des mouvements sans but au niveau des membres inférieurs.

À cet âge corrigé, le nourrisson prématuré acceptera de plus en plus la position ventrale. L'utilisation excessive des extenseurs peut limiter la mise en charge sur les avant-bras en position ventrale, ce qui rendra cette position inconfortable pour jouer. Si la position des bras est vers l'avant, le prématuré réussira à rouler du ventre au dos. Si les bras sont en croix ou en chandelier, ils feront obstacle au roulement.

Il ne reste pas en position latérale. La plupart du temps, il se retourne rapidement sur le dos. Celui qui arrive à rouler sur le ventre le fait brusquement, par une chute du corps, la tête restant au sol.

La position assise est de courte durée. L'activité des extenseurs étant encore dominante, les membres supérieurs ne lui permettent pas de prendre appui pour garder la position. L'enfant prématuré aura tendance à se lancer sur le dos. Encore à cet âge, il ne rate aucune occasion de se tirer debout et on le retrouve assez souvent sur la pointe des pieds.

Regarde-moi !

Les questions contenues dans la section *Que faire ?* vous aideront à identifier vos habitudes et celles de votre bébé. Vous pourrez par la suite mettre en corrélation les recommandations mentionnées dans la rubrique en fonction de vos habitudes.

Que faire ?

◆ Votre bébé joue-t-il avec ses bras et ses jambes lorsqu'il est sur le dos ?

Incitez-le à soulever les bras vers un jouet en rapprochant ce dernier de sa main, puis en le déplaçant vers le centre. Poursuivez vers le côté pour l'amener à rouler. Assurez-vous du contact et de la poursuite visuelle du jouet. Si les jambes restent inactives, référez-vous aux conseils donnés au chapitre 3.

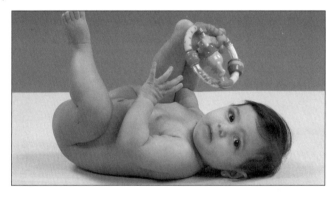

◆ Votre bébé se déplace-t-il en se poussant avec les pieds et en arquant le dos ?

Incitez-le à attraper ses pieds, ramenez-le en boule. En jouant avec ses pieds, le bébé pourra basculer sur le côté.

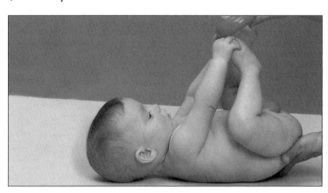

◆ Votre bébé parvient-il à rouler de lui-même du dos au ventre en redressant latéralement sa tête ?

Si le bébé n'initie pas le mouvement du bras vers le centre, amorcez la roulade avec le croisement d'une jambe ou d'un bras vers le côté où vous souhaitez qu'il roule.

S'il ne le fait pas de cette façon, attirez son attention avec l'un de ses jouets préférés tout en déplaçant ce dernier latéralement.

Déplacez-vous de côté de manière à le guider vers la position que vous voulez lui faire adopter.

S'il ne redresse toujours pas sa tête, appuyez sur son bassin avec une pression ferme et descendante à mi-chemin du roulement.

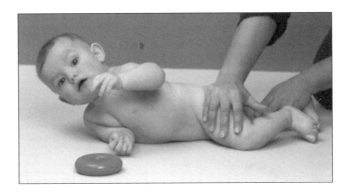

◆ Votre bébé s'appuie-t-il sur les avant-bras pour jouer en position ventrale ?

Amenez les coudes vers l'avant lorsqu'il est en appui sur les avant-bras et stimulez le regard avec un jouet devant l'enfant.

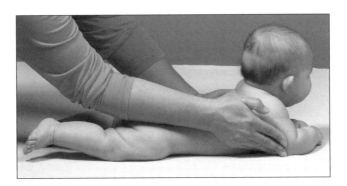

◆ A-t-il tendance à trop écarter les jambes ?

Essayez d'aligner les jambes avec le tronc en plaçant vos mains au niveau des hanches et imprimez un lent mouvement de va-et-vient pour donner à votre enfant une sensation de transfert de poids d'une hanche à l'autre.

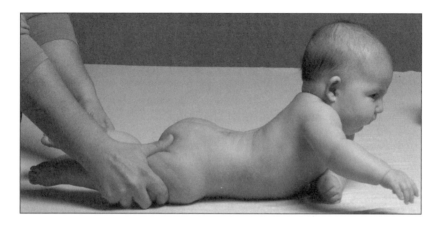

◆ Votre bébé prend-il appui sur ses mains, coudes étendus ?

Placez un jouet près de son thorax pour l'encourager à abaisser le regard, rentrer le menton et pousser sur les mains.

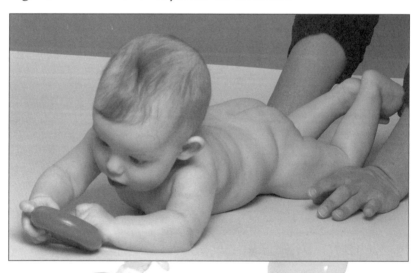

◆ Votre bébé pivote-t-il en ventral ?

Encouragez-le en plaçant ses jouets sur les côtés. Participez à cette activité en vous couchant à côté de lui et en lui parlant.

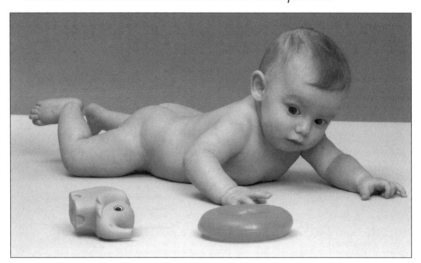

À partir de la position dorsale, si le bébé manifeste le désir de se faire prendre, on peut lui tendre les mains pour qu'il s'y agrippe et tente de s'asseoir. L'effort doit venir de lui.

Le bébé a besoin d'apprendre à rester assis avant de se tenir debout. Chaque chose en son temps.

Pour ou contre les aides à la station debout?

Faut-il décourager l'utilisation des équipements tels que les «exerciseurs», les «marchettes» et les «Jolly-Jumper»?

Nous croyons que oui et ce, pour de nombreuses raisons concernant le développement du bébé. Depuis environ 10 ans, on constate un engouement pour ce type d'équipement. Il n'est pas rare de voir certains parents y placer leur poupon dès l'âge de 4 mois sous prétexte qu'ils l'ont reçu en cadeau et que le bébé adore y être placé. En effet, certains bébés expérimentent très peu les positions ventrale et latérale. Or, dans ces équipements, les muscles les plus sollicités sont les extenseurs, tout comme quand l'enfant est placé en dorsal. Quand ils y sont, ils ont peu d'efforts à fournir. Ils y restent parfois de longues heures, n'expérimentent ni la reptation ni le «quatre pattes» comme moyen de déplacement au sol.

Les parents sont convaincus que leur bébé va bientôt marcher. Il y a des conséquences à l'utilisation de ces aides à la station debout: des jambes raides et des pieds pointés ou une marche avec une base très large et un mouvement de pivot des jambes. Dans les deux cas, les mouvements seront lents et grossiers et les bébés seront incapables de franchir les obstacles. Les chutes seront fréquentes, car les mécanismes de réajustement postural seront quasiment inexistants.

Il faut également comprendre que si certains bébés sont capables, une fois qu'ils sont remis au sol, de se déplacer, d'autres, au contraire, s'en montrent incapables. Ils préfèrent rester assis ou se déplacer sur les fesses. La marche indépendante peut être retardée.

À quel âge peut-on les placer dans ces aides à la station debout? La question d'âge importe peu. Sans tomber dans les excès, on peut dire que si le bébé a expérimenté toute la mobilité au sol et qu'il commence à se tirer debout seul, il est prêt à y être placé pour de courtes périodes. À partir d'un certain moment, il ne voudra probablement plus y rester parce qu'il sera trop limité dans ses déplacements. C'est le moment où il veut explorer son environnement et fouiner partout. Tout en le surveillant, laissez-le faire, cela ne peut que lui être profitable.

Chapitre 5

J'explore

Le huitième mois marque le début d'une phase d'exploration. Dès que le bébé est apte à se déplacer seul, il se sent libre de découvrir son environnement. Ses déplacements lui permettent d'améliorer ses habiletés motrices. Non seulement peut-il se déplacer maintenant à quatre pattes à travers la maison et s'amuser à se cacher derrière les meubles, mais il est également capable de s'asseoir seul. Cette phase en est une d'exploration mais également d'acrobaties. Chaque mouvement ou activité met en jeu les préalables qu'il a patiemment acquis au sol, tels les redressements de la tête et du tronc, les rotations du tronc, la mobilité du bassin ou encore la dissociation entre les divers segments du corps. En somme, c'est un nouvel acrobate parti à la découverte d'un environnement plus étendu, d'un univers élargi.

Les gains moteurs du bébé de 8 mois

À quatre pattes, il se balance d'avant en arrière et recommence souvent ce petit manège jusqu'au jour où il se lance à l'aventure, non sans quelques hésitations! Il avance alors une jambe, puis un bras, souvent du même côté, au début. Puis, après quelques essais, il parvient à avancer ses membres en alternance... c'est le début de véritables parties de cache-cache.

À partir de la position à quatre pattes, le bébé effectue ses premières tentatives pour s'asseoir. Il se laisse tomber sur une fesse, puis sur l'autre, et se redresse à l'aide de ses mains.

Le bébé est maintenant à l'aise dans la position semi-assise ou assise. Il peut facilement saisir un objet, passer celui-ci d'une main à l'autre, ou se pencher pour en saisir un deuxième lorsqu'il est assis. Tous ces jeux améliorent sa motricité fine. Lorsqu'il perd l'équilibre, il se reprend rapidement et si ses réactions d'équilibre ne sont pas encore tout à fait au point, il utilise spontanément ses mains en s'appuyant sur le côté ou vers l'avant pour se protéger. Il n'est toutefois pas encore capable de se protéger vers l'arrière.

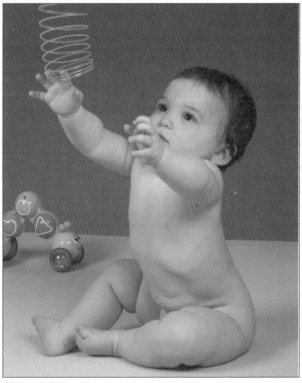

Véritable petit fouineur, un bébé de cet âge ne veut pas rester longtemps assis. En effet, aussitôt assis, il retourne au sol avec beaucoup d'aisance ou se met à quatre pattes en passant par le côté ou par l'avant. Il y a tant de choses passionnantes à découvrir dans son environnement !

La volonté de se tenir debout est telle qu'il profite de toutes les occasions pour y arriver. Il s'accroche alors aux mains que lui tendent ses parents ou à tout objet à sa portée en immobilisant ses épaules, ce qui lui permet de bouger plus facilement ses jambes. Bien qu'imparfaite, la stabilité du bassin et celle des jambes s'améliorent. Ainsi, mis debout sur nos genoux, c'est toujours avec un plaisir évident qu'il saute.

Un grand choix de positions s'offre au bébé et il est à la recherche de nouvelles expériences. Il choisit parfois de s'asseoir, maintient cette position pendant quelques minutes tout en jouant, manipule ensuite quelques objets, puis repart à l'aventure. Il peut maintenant s'amuser en utilisant ses deux mains en même temps. Évidemment, la répétition incessante de tous ces jeux et activités lui permet d'améliorer ses capacités motrices.

Le prématuré de 8 mois d'âge corrigé a amélioré son contrôle postural, ce qui lui permet de jouer plus librement. La position assise peut maintenant être gardée pendant de plus longues périodes mais toujours sous surveillance, car le nourrisson prématuré est encore désorganisé malgré le fait que ses muscles extenseurs soient moins dominants. Les réactions posturales sont en voie d'acquisition mais ne sont pas suffisamment efficaces pour lui permettre de varier ses positions afin d'explorer son environnement. Plus de tentatives lui seront nécessaires pour lui permettre de jouer dans les positions de transition.

Malgré le fait qu'il adopte une variété de positions, on retrouve encore le prématuré sur le dos. Il a la capacité de se retourner, mais il compte souvent sur l'adulte pour changer de position. Les parents le trouvent très bon en position ventrale car il se fixe en appui sur les mains, les coudes bloqués. Ses jambes sont souvent écartées. Il peut même reculer en poussant sur ses mains. S'il en avait l'occasion, il serait toujours debout. Les parents le trouvent « très fort » mais, pour garder cette position, il doit se fixer en bloquant ses genoux, en se mettant sur la pointe des pieds ou encore en agrippant ses orteils.

Les gains moteurs du bébé de 8 mois sont tout aussi essentiels que ceux du bébé de 4 mois. En effet, c'est à ce stade que peuvent être décelés des difficultés motrices ou des délais dans l'apparition de la qualité et de la variété des mouvements. Lorsque le bébé a expérimenté toutes sortes de mouvements, il n'éprouve aucune difficulté à contrôler les positions qu'il adopte ou à opérer des réajustements au besoin. La position à quatre pattes n'a plus de secret pour lui ! Beaucoup de parents considèrent que cette position est peu importante, certains de leurs enfants ayant souvent sauté cette étape. Pourtant, le contrôle de cette position est indispensable parce qu'elle assure une meilleure stabilité au niveau des épaules, du tronc et des hanches, en plus de préparer le bébé à une meilleure coordination des groupes musculaires pour la station debout et la marche. De même que la position latérale est une position intermédiaire pour le roulé du dos au ventre, la position à quatre pattes sert d'intermédiaire entre les positions assise et debout.

En voulant revenir à la position assise ou avancer à quatre pattes, le bébé augmente la mobilité de son bassin, effectue des transferts de poids, améliore la coordination de ses mouvements et découvre de nouvelles sensations d'équilibre, sa base d'appui étant moins large. Il doit donc maintenant être capable de jouer en position dorsale, ventrale, latérale et assise, en plus de pouvoir passer facilement d'une position à l'autre. Il ne reste jamais longtemps dans la même position car il est très intéressé par son environnement.

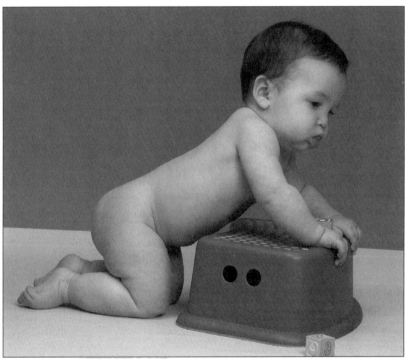

Regarde-moi!

À 8 mois, si tout va bien, le bébé a de moins en moins besoin d'être stimulé. Cependant, un bébé peu actif doit être constamment encouragé à bouger. Il faut lui offrir le plus de stimulations possibles qui lui permettront d'initier les changements de position.

S'il est trop actif, s'il ne reste pas longtemps en place, il doit être encadré. La filtration des stimuli est nécessaire pour lui permettre de se stabiliser et de contrôler sa posture afin qu'il puisse jouer plus longtemps dans une position. L'exploration visuelle et l'exploration tactile s'en trouvent améliorées et ces éléments sont à la base du jeu constructif.

Que faire?

◆ Votre enfant reste-t-il assis, jambes écartées, n'allant chercher que les objets placés en avant de lui?

Placez les jouets de côté et éloignez-les progressivement de lui pour qu'il apprivoise un environnement plus étendu.

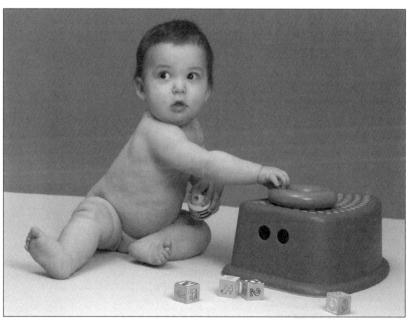

◆ Votre enfant a-t-il le dos arrondi en station assise avec les jambes écartées ?

Pour diminuer la base d'appui, asseyez-le sur le bord du coussin du divan en face de vous, les genoux alignés avec les hanches.

Présentez-lui des jouets d'abord face à lui, puis latéralement et ensuite en diagonale.

Stimulez-le autant d'un côté que de l'autre.

◆ Votre enfant passe-t-il de la position assise à la position à quatre pattes et inversement ?

Placez un obstacle tel un tabouret ou un coussin à côté de lui afin de l'inciter à grimper pour aller chercher son jouet préféré. N'oubliez pas de le faire des deux côtés.

Si ses jambes s'écartent lorsque l'enfant prend appui sur ses genoux, pensez à les aligner.

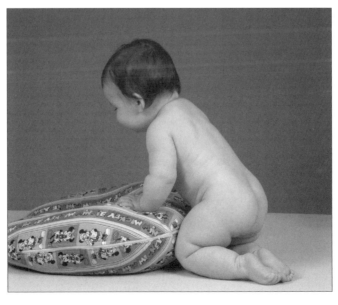

Chapitre 6

Je fais des acrobaties

De 9 à 12 mois : je me redresse

À ce stade de son développement, le bébé a acquis un bon contrôle du tronc et une bonne mobilité des membres supérieurs et inférieurs. Ses membres ne lui servent pas seulement à se stabiliser dans l'espace, mais lui permettent également d'effectuer des mouvements de plus en plus complexes, dans toutes sortes de nouvelles situations. Une plus grande facilité de mouvement permet à l'enfant de meilleures réactions d'équilibre et, dans une certaine mesure, lui permet d'accéder à la marche. En position debout, la base d'appui est considérablement réduite par rapport à celle des autres positions, si bien que le bébé a maintenant surtout besoin de développer son équilibre.

Ce stade est donc considéré comme un stade de grande autonomie. Durant cette période, le bébé a envie de partir à l'aventure et il découvre qu'il peut agir sur son environnement.

Il grimpe, fouine sous les meubles à la recherche d'un jouet caché ou égaré. La variété des positions qu'il adopte ainsi que le caractère répétitif de ses essais contribuent à augmenter les sensations de mouvement et à consolider les acquis.

Sa force musculaire augmente. Ses prouesses sont alors dignes de mention. À quatre pattes, position qui représente maintenant la forme de locomotion la plus élaborée, il est capable d'attraper un objet d'une seule main. L'autre main reste au sol, le bras d'appui servant de pivot. Sa préhension s'est affinée à un tel point qu'il parvient à ramasser des miettes et des bouts de fil entre son index et son pouce. Évidemment, ces nouvelles capacités le poussent à explorer des endroits dangereux, comme les ouvertures des prises électriques. Il faut alors redoubler d'attention pour le protéger de sa trop grande curiosité.

Lorsqu'il est intéressé par un objet qu'il ne peut atteindre, il peut tenter d'abandonner la position à quatre pattes pour redresser le tronc et se mettre à genoux, les fesses sur les talons. Dès que l'objet est saisi, il revient à quatre pattes. Il ne contrôle pas encore suffisamment son bassin pour rester à genoux sans appui mais dans peu de temps, il développera graduellement ce contrôle et parviendra à rester de plus en plus longtemps dans cette position. Par la suite, il pourra également se déplacer sur les genoux.

Que fait donc un bébé (ou que cherche-t-il) lorsqu'il semble se promener les fesses en l'air, la tête entre les jambes, en appui sur les mains et sur les pieds? Ce «rituel» lui sert de préliminaire à la station debout. En effet, avant de se mettre en position debout par eux-mêmes, certains bébés s'amusent à se déplacer en position plantidigitigrade, en appui sur les mains et sur les pieds, position quelque peu acrobatique.

En le suivant d'un peu plus près dans la découverte de son environnement, on constate vite qu'un bébé de cet âge n'est aucunement conscient des risques qu'il prend. Or, son intrépidité peut provoquer des catastrophes. C'est le début de la période des activités dites «dangereuses», le bébé étant principalement attiré par les escaliers, les tables basses et les chaises. Il essaie de grimper, maladroitement au début, tente d'utiliser la force de ses bras lorsqu'il est à quatre pattes, redresse le tronc, s'agrippe, se tire debout et découvre qu'il peut se servir de ses jambes. Et, sans même que nous ayons eu le temps de nous en apercevoir, il a déjà gravi deux marches de l'escalier. La panique s'empare de lui. Comment faire pour redescendre, opération qu'il n'a pas encore apprise? Quelques semaines de plus et il pourra effectuer ce trajet en sens inverse.

Il cherche à tout prix à se mettre debout et prend l'initiative d'y arriver. Il s'agrippe aux barreaux de son lit ou à nos vêtements. Ses bras sont mis à rude contribution alors que ses jambes se contentent de suivre le mouvement. Cette activité demande beaucoup d'effort: il bloque ses genoux car son bassin n'est pas encore suffisamment stable; il écarte ses jambes et ses orteils restent souvent agrippés au sol.

Puis, apparaît un mouvement dissocié, semblable à une génuflexion, qui lui permet de se tirer debout. Dès ce moment, le bébé est capable de transférer son poids sur une seule jambe, libérant ainsi l'autre, ce qui lui permet de poser un pied au sol.

Ayant enfin réussi à se lever de lui-même à l'aide de ses mains, il appuie son ventre sur le meuble devant lequel il se trouve. Cette dernière précaution, qui lui offre plus de stabilité, lui permet également de libérer l'une de ses mains. Il joue alors dans cette position: il commence à se déplacer de côté puis abandonne l'appui de son ventre et de sa main pour pouvoir jouer de trois quarts. Le jouet qui se trouve sur la chaise, tout près, est vraiment attirant… Il étire un bras, s'agrippe à la chaise et commence à se déplacer. Il va ainsi s'aventurer d'un meuble à un autre, à condition toutefois que ceux-ci soient suffisamment rapprochés.

Évidemment, il retourne au sol, ne serait-ce que pour aller y chercher ses jouets. Cette activité l'amène à découvrir des positions de flexion même si, au départ, il se contente de se laisser tomber droit sur les fesses, sans plier les jambes. Il apprend à descendre au sol, accroupi ou en génuflexion, joue quelques instants dans ces positions, puis se redresse.

Durant cette période de sa vie, le bébé utilise la majeure partie de son temps à expérimenter. Puis, arrive le jour où il se dresse sur ses petites jambes chancelantes, rétablit son équilibre, hésite, et devant des parents qui retiennent leur souffle, fait un premier pas, un deuxième, et est manifestement très heureux de trouver deux bras pour l'accueillir ! Il faut l'avouer : c'est une victoire mémorable pour le bébé… et pour ses parents !

En position debout, les réactions d'équilibre sont encore peu développées et le bébé ne peut se corriger adéquatement pour marcher. Cela explique qu'il ne soit pas capable de faire plus de deux ou trois pas à la fois. Après un tel effort, il tombe lourdement, ce qui laisse craindre le pire – pourtant, il y a peu de risques qu'il se blesse parce que ses réactions de protection ont été bien mises au point dans ses acrobaties au sol.

Il importe donc de ne pas faire brûler d'étapes au bébé et de ne pas l'encourager à se mettre debout trop tôt.

De 13 à 15 mois : à petits pas

La marche à 12 mois ne constitue pas le critère absolu d'un développement neuromoteur normal. En effet, certains bébés feront leurs premiers pas à 10 mois, tandis que d'autres ne marcheront que vers l'âge de 15 mois sans pour autant être qualifiés de paresseux. Cette différence s'explique par l'expérience de chaque bébé et le tonus qui lui est propre. La personnalité et l'environnement peuvent également intervenir de façon significative.

Au début, les déplacements sont rapides. Les réactions d'équilibre étant encore mal assurées, le bébé se retrouve fréquemment au sol, mais il n'abandonne pas ! Malgré les chutes souvent nombreuses, il se reprend. De temps à autre, il joue en position accroupie, se déplace de nouveau à quatre pattes puis se redresse. Lorsqu'il tombe, il se fait rarement mal. Il peut maintenant se protéger vers l'avant, de côté et également vers l'arrière.

De temps en temps, il se met sur la pointe des pieds. Cette nouvelle expérience est intéressante mais il faut s'assurer qu'il ne persiste pas dans cette façon de se déplacer. En effet, à cet âge, la mise en charge doit s'effectuer sur toute la plante du pied.

Par ailleurs, il est normal que l'arche du pied du bébé de cet âge ne soit pas encore complètement creusée, puisque ce n'est que vers l'âge de 4 ou 5 ans que se complétera la morphologie de ses pieds. Les chaussures rigides ne sont donc pas nécessaires et tout compte fait, les meilleures expériences se font pieds nus. Rester pieds nus permet aux différents muscles qui soutiennent la cheville de s'étirer et de se contracter en fonction des positions adoptées par le bébé. Cela permet également à l'enfant de profiter de l'expérience sensorimotrice que cet état procure. La force et la stabilité s'en trouvent améliorées. À mesure que la stabilité de son tronc augmente en position debout, qu'il est à l'aise et commence à combiner certaines activités, on le voit marcher en tirant son jouet favori ou encore transporter toutes sortes d'objets. Le bébé de cet âge est maintenant autonome. Plus il vieillit, plus les compétences motrices acquises au cours de la première année se consolident et s'affinent. Il apprend alors progressivement à coordonner diverses activités plus élaborées comme la course, le saut ou les jeux de ballon. Il intègre ainsi toutes ses expériences sensorimotrices et les utilise pour gagner en variété, en rapidité et en harmonie.

Toutes les étapes motrices de 9 à 15 mois d'âge corrigé prennent réellement de l'importance à ce stade de développement pour la planification et l'organisation motrice du prématuré. S'il avait le choix, le prématuré sauterait certaines étapes. Par exemple, celui qui est très actif se met rapidement à quatre pattes et se déplace mais il ne restera pas assis pour jouer. Par contre, celui qui est avare de mouvements aura tendance à se fixer pour éviter les positions de transition. Il donnera priorité à la station assise. Il exigera que l'adulte l'assoie ou l'installe debout, contrairement à l'enfant qui s'assoit seul ou se tire debout de lui-même. Et pour explorer son environnement, il finira par se déplacer sur les fesses. Il aime finalement le coucher ventral mais ses jambes sont encore très écartées. Ce manque d'alignement rend difficile la position à quatre pattes. Si l'alignement n'est pas corrigé, la porte est grande ouverte pour la position assise en « W » qui est à éviter à tout prix puisqu'elle est néfaste pour les hanches, les genoux et les pieds.

Certains parents pensent que le déplacement à quatre pattes n'est pas essentiel au bon développement moteur. Nous croyons que, pour le prématuré, il s'agit d'une bonne occasion de pratiquer la coordination des mouvements de tout le corps et, malgré des embûches, il faut insister pour qu'il le fasse.

En station debout, certains prématurés se fixent encore en bloquant les genoux et en se mettant sur la pointe des pieds. Il est alors difficile de descendre en position accroupie pour aller chercher un jouet au sol. L'équilibre est précaire, ce qui retardera l'âge d'acquisition de la marche autonome.

Regarde-moi!

Les questions contenues dans la section *Que faire?* vous aideront à identifier vos habitudes et celles de votre bébé. Vous pourrez par la suite mettre en corrélation les recommandations mentionnées dans la rubrique en fonction de vos habitudes.

De «mauvaises» habitudes qui doivent être modifiées. Que faire?

◆ J'aime me déplacer assis sur les fesses.

Amenez votre enfant à mettre du poids sur ses genoux (voir les conseils du chapitre 5 concernant le «quatre pattes»).

◆ Je me déplace toujours à quatre pattes en appui sur les mains, sur le même genou et le même pied (3 points d'appui).

Amenez votre enfant à rester en appui sur les deux genoux pour jouer.

Il doit passer ensuite de la position à genoux à la position assise et inversement, autant à droite qu'à gauche.

◆ Je m'assois entre mes jambes en «W» pour jouer.

Changez la position assise en mettant son jouet plus haut, ce qui va l'inciter à aller jouer à genoux. Profitez-en pour aligner les jambes et les chevilles avec les hanches.

Asseyez-le sur un petit banc avec les jambes devait lui, alignées, pieds bien en appui au sol.

◆ J'aime bien me tenir debout sur la pointe des pieds.

Assis sur un petit banc, jambes alignées et talons bien au sol, incitez votre enfant à se pencher vers l'avant pour aller chercher un jouet au sol puis à se redresser.

Toujours assis sur un banc, mettez le jouet plus haut pour qu'il puisse passer de la position assise à la position debout, puis insistez pour qu'il se rassoie.

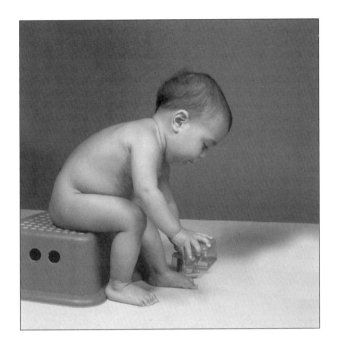

◆ J'aime bien que l'on m'aide à me déplacer sans que je fasse trop d'efforts en me tenant toujours par les mains.

Placez vos mains sur ses épaules ou au niveau du bassin au lieu de le tenir par les mains pour éviter de stimuler la marche sur la pointe des pieds.

Faites-lui pousser un tabouret, une petite chaise ou un trotteur lourd pour ralentir sa marche et lui permettre de déposer les talons au sol.

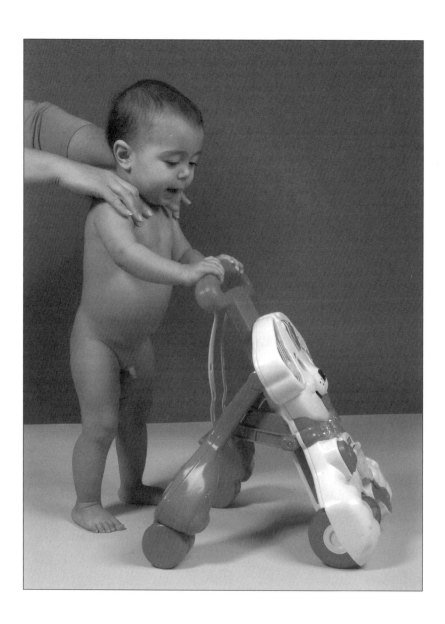

Mes acrobaties illustrées

Je peux jouer bien stable, assis.

Je peux libérer une main pour m'amuser tout en gardant un appui sur l'autre main, une cuisse et un pied.

Je pars à l'aventure à quatre pattes.

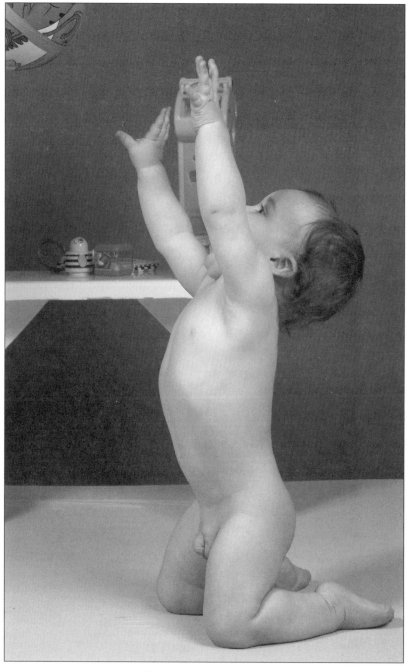

Sur mes genoux, je peux enfin tout attraper avec mes mains.

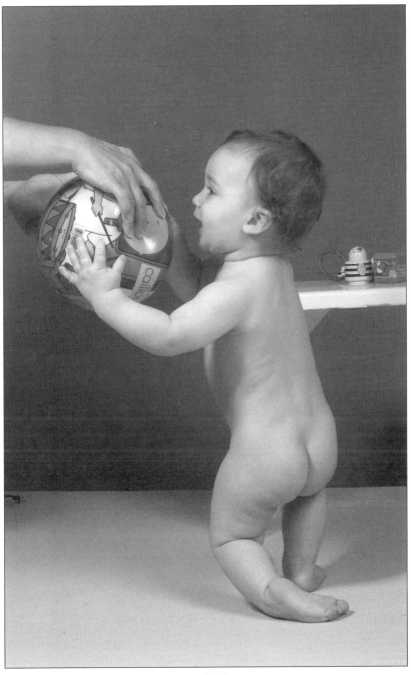

Je me mets debout en passant par la génuflexion.

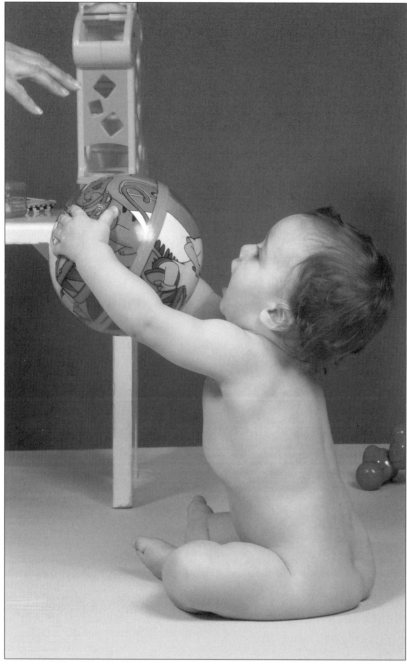

Je peux éloigner mes bras pour saisir le ballon en restant bien stable, assis.

Tout ce qui se trouve sur une table m'intéresse maintenant.

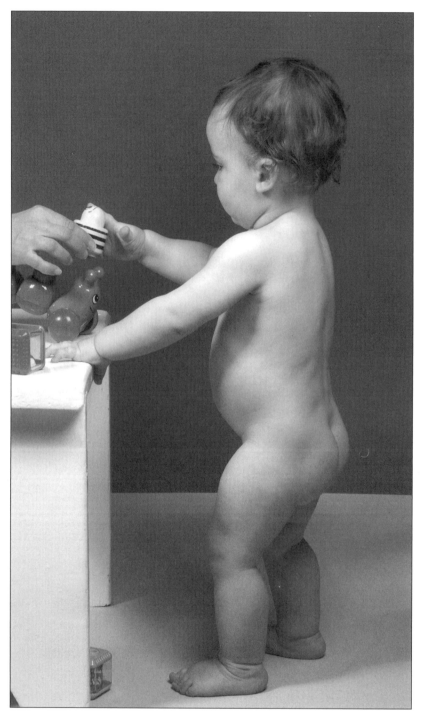

Je tiens debout sur mes deux pieds en me sécurisant d'une seule main.

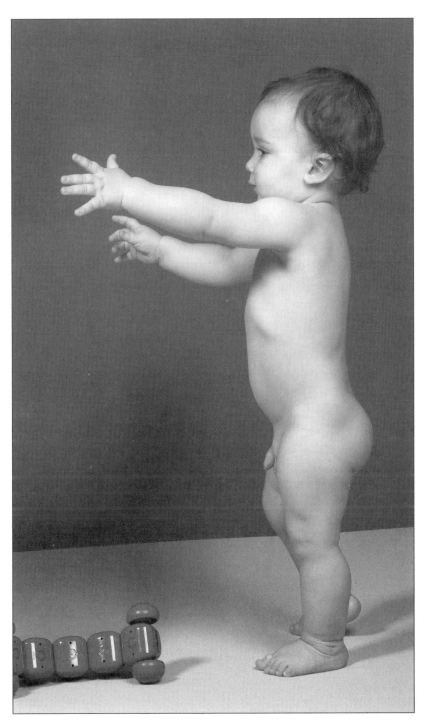

Je fais ma première tentative de marche indépendante.

J'espère qu'il y a deux bras devant moi pour m'accueillir…

Je peux bouger rapidement pour aller chercher un objet convoité.

Regarde-moi…

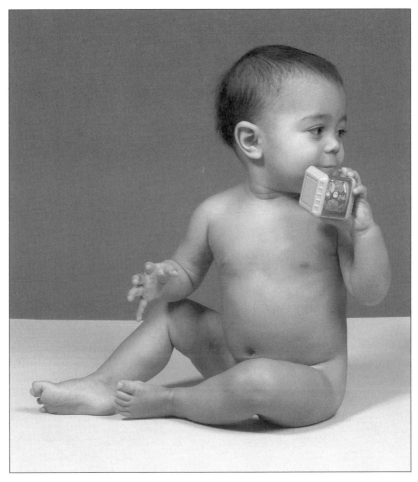

Vous ne pouvez plus rien cacher dans mon dos…

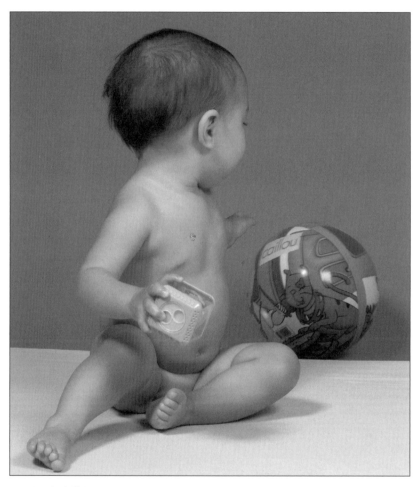

Je suis très à l'aise pour me mouvoir...

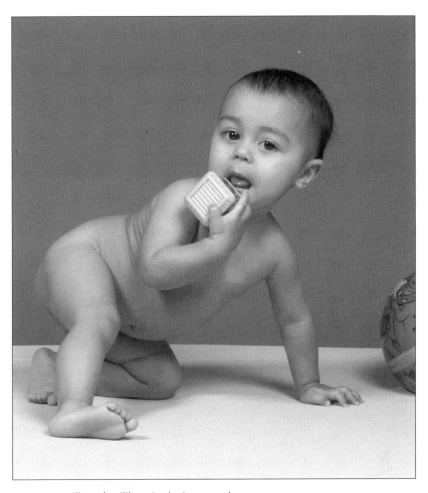

Avec un meilleur équilibre, je deviens acrobate.

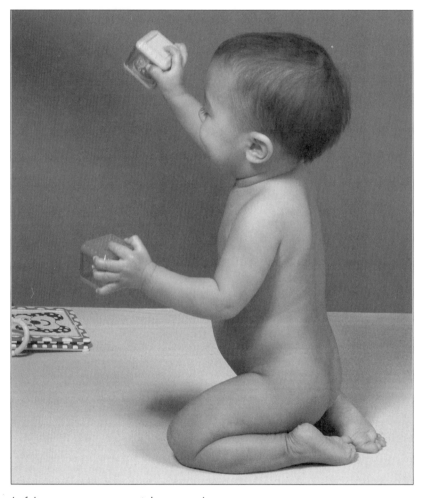

Je fais une pause sur mes talons pour jouer.

Je transfère mon poids sur un genou pour libérer l'autre jambe.

Je me redresse sur un pied en m'appuyant un petit peu sur une main.

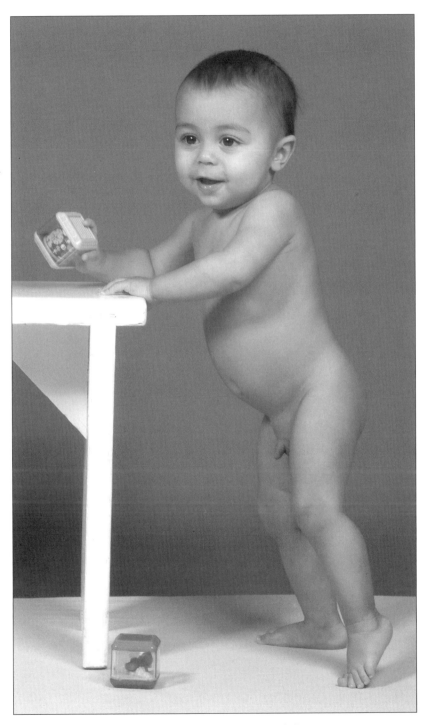

Je peux faire le tour de la table en passant d'un pied à l'autre.

Je m'accroupis pour ramasser un autre jouet.

Je reste accroupi pour jouer.

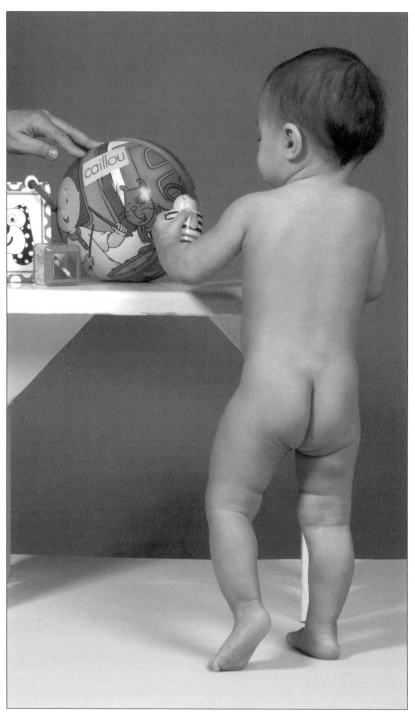

J'alterne facilement mon poids d'un côté à l'autre.

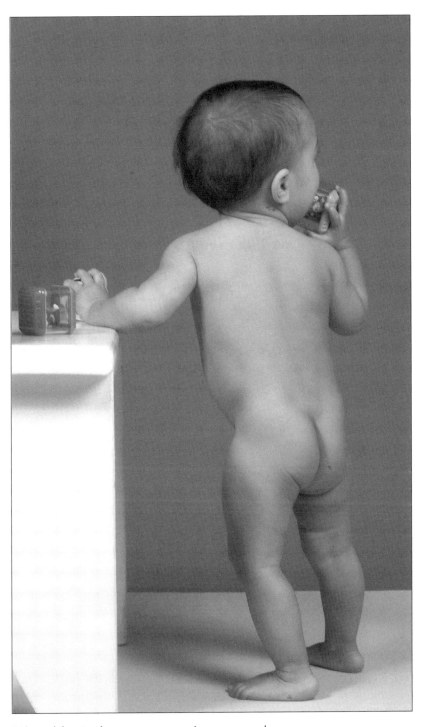

Même debout, où que vous soyez, je vous regarde…

Je contrôle ma descente vers le sol.

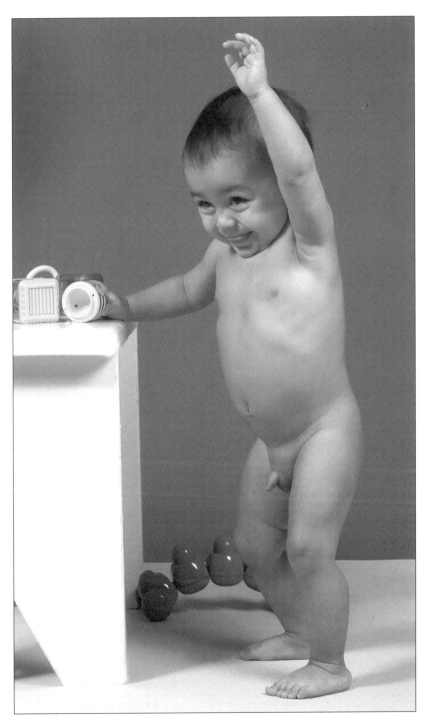

Je suis fier de mon exploit !

Conclusion

Nous avons suivi les différentes étapes du développement d'un nourrisson. Nous tenons à rappeler qu'il ne faut pas tomber dans le piège de croire qu'un enfant doit obligatoirement effectuer une activité à un âge déterminé. Le plus important, et nous l'avons déjà souligné à quelques reprises, c'est l'acquisition des préalables nécessaires à chaque étape du développement, au rythme propre de chaque bébé, à l'intérieur des limites de la normalité.

Certains bébés ont besoin d'aide pour franchir toutes les étapes du développement. Il est possible de leur donner un coup de pouce en exploitant les mises en situation que nous vous avons proposées ou en en créant d'autres. Si un bébé ne parvient pas à maîtriser une nouvelle position, c'est qu'il n'a pas réussi à intégrer les préalables au contrôle de cette dernière.

Il faut toujours laisser au bébé le temps de faire ses propres découvertes dans un climat serein. Le bébé doit pouvoir évoluer à son propre rythme. La meilleure façon de susciter l'intérêt d'un bébé et de l'amener à participer aux activités qui lui sont offertes est de choisir des stimulations qui lui procurent du plaisir. Il faut toujours se rappeler que ces stimulations peuvent être répétées sans pour autant que le bébé en soit totalement saturé. Il faut donc varier les mises en situations lui permettant d'expérimenter le plus grand nombre de préalables nécessaires à l'acquisition d'une locomotion harmonieuse.

Nous voulons rappeler aux parents que, lorsque l'évolution motrice d'un bébé traduit une nette discordance entre ce qu'il fait et ce qu'on s'attendrait qu'il fasse à un âge donné, il importe alors de consulter le médecin de famille ou le pédiatre. En effet, si cela s'avère nécessaire, il faudra peut-être qu'un spécialiste procède à une évaluation des fonctions sensorielles, motrices ou psychologiques du bébé pour qu'un programme de stimulation plus spécifique et individualisé soit appliqué.

Petit lexique

Attitude de torticolis: position de la tête qui reste penchée d'un côté et tournée du côté opposé.

Bras en chandelier: même position que précédemment, mais avec les coudes fléchis.

Bras en croix: bras allongés perpendiculairement au tronc.

Contrôle postural: capacité de garder une position en utilisant de façon équilibrée les muscles extenseurs et les muscles fléchisseurs.

Flexion physiologique: posture du nouveau-né à terme replié sur lui-même.

Muscles extenseurs: muscles dont l'action, de façon générale, est responsable d'amener le corps vers l'arrière.

Muscles fléchisseurs: muscles dont l'action, de façon générale, est responsable d'amener le corps vers l'avant.

Position assise en «W»: fesses entre les talons, jambes repliées vers l'arrière.

Position plantidigitigrade: position de l'enfant en appui sur les mains et les pieds, avec la tête vers le bas et les fesses vers le haut.

Poussée en extension: action d'arquer le corps vers l'arrière.

Reptation: action de se déplacer sur le ventre en rampant.

Tonus musculaire: état de tension des muscles rendant ceux-ci mous ou raides.

Transfert de poids: mouvements de va-et-vient du poids du corps.

Ressources

Sites Internet

Commission d'examen chargée d'étudier la nature et les caractéristiques des marchettes pour bébés
Santé Canada
www.hc-sc.gc.ca/cps-spc/child-enfant/equip/overview-apercu_f.html

Pathways Awareness
Pathways Awareness Foundation
www.pathwaysawareness.org

Positional Plagiocephaly Cranial Technologies inc.
http://cranialtech.com

Prévention des accidents
SécuriJeunes Canada
www.sickkids.ca/securijeunescanada/

Prévention des blessures
Agence de la santé publique du Canada
www.phac-aspc.gc.ca/inj-bles/index-fra.php

Soins de nos enfants
Société canadienne de pédiatrie
www.soinsdenosenfants.cps.ca

Torticolis et plagiocéphalie
CHU Sainte-Justine
www.chu-sainte-justine.org/documents/Pro/pdf/Torticolis-plagiocephalie.pdf

Achevé d'imprimer
en avril 2008 sur les presses de
Transcontinental Métrolitho

Imprimé au Canada — Printed in Canada